Catch The Wind!

「感謝」が成功を引き寄せる

関口暁子
SEKIGUCHI AKIKO

JN007528

幻冬舎 MC

Catch The Wind!

「感謝」が成功を引き寄せる

はじめに

風の爽やかな春の陽気だった。その日、私は横浜みなとみらいに向かっていた。白い帆船が映える美しい港の景色を抜けてゆく。目的地である高層オフィスビルはすぐそこだ。

私は数年前から、文筆業のかたわらさまざまな大学や大学院で非常勤講師の仕事をしている。この日の用向きは埼玉大学の講師としてのお役目であった。

同大学では「実践ベンチャー論」と題し、同大学出身者や埼玉県ゆかりの経営者を招き、学生に「ベンチャー精神」とは何かを教えてもらう講義をしている。

ともに担当する教授と一緒に二〇一九年度の講義をお願いしたいと参上した先が、ここみなとみらいに本社を置く会社を経営する池田典義氏――本作の主人公である。

氏は埼玉大学の卒業生で、東証一部上場企業の創業者である。今でこそ当たり前のように使われているクラウドサービスを半世紀も前から立ち上げ、成長させてきた。五十年の間にはオイルショックやリーマンショックなど、さまざまなピンチがあり、すべてを乗り越えてきたのである。

そのような経歴を聞いて抱いた「厳格な雰囲気の持ち主」という私の勝手な思い込みは、会った瞬間に見事に裏切られた。

柔和でにこやか。一言で印象を問われれば、「大黒様のような人」。池田はこちらの説明を一通り聞くと、「後輩、後世のためなら」と、即座に快諾してくださった。大きな器を感じさせるおおらかさはあるが、多くの創業経営者に見られる豪快さや強引さ、成功した者がときおり見せる傲慢さが垣間見えることは、ついぞなかった。

＊

池田のはじめての講義は二〇一九年七月におこなわれた。

時刻は夕方の五時を回っていたが、真夏の鋭い西日はキャンパスのコンクリートを容赦なく照りつけていた。クーラーの良く効いた教室にも、蝉のけたたましい鳴き声が、今は真夏だということを知らせてくれる。

一時間強、学生たちは、登壇している「大先輩」の講義を身じろぎひとつせず聞いている。社会人にもぜひ聞いてほしいと思うような、実に素晴らしい講義だった。

後輩にあたる大学生たちへの温かい眼差し、そして熱意あるエール。この学生たちは幸せ者だ、と思った。

池田はなぜ会社を立ち上げたのか。どのような経緯で会社が大きくなったのか。そして、今、会社や池田が大切にしていることは何か。

講義内容を聞くうちに、池田の持つ「何事にも感謝の念を忘れない姿勢」こそが、営業一筋から独立し、東証一部上場企業にまで育てた経営者としての成功の秘訣ではないか――いや、経営を成功させたというだけではない。人が、自分も他者も幸せにして生きていくという理想的な生き方を目指すうえでの、重要なエッセンスが池田の生き方、考え方に含まれている。そう感じたのだった。

おりしも、池田の経営する株式会社アイネットは創業五十周年を迎えるという。その節目に、同社の社史を作成する予定だと聞いた。

大学生とともに話を聞くうちに、池田の生の声を聞くことができる彼らだけでなく、もっと広く世の人々に、池田の生きざまを知ってほしいと思うようになった。

なぜなら、池田は幼少の頃から社会人になるまで、いい意味で「普通の人」だったからだ。そんな「普通の人」が起業する前、少年時代やサラリーマン時代には何を考えてきたのか。五十年前に起業してから今に至るまでにどんな荒波に耐え、乗り越えてきたのか――。それを聞けば、人生やビジネスの苦難を克服するには、特殊な能力や忍耐力ではなく、誰もが心がけ次第でできる、ちょっとした秘訣があるとわかる。

この本が、人生やビジネスにおいて困難に直面していたり、今よりももっと成長したいと望む人にとって役に立てば、著者としてこれ以上の幸せはない。

目次◉Catch The Wind! 「感謝」が成功を引き寄せる

第3章

起業直後にオイルショック……
脳梗塞で倒れながらも一気に上場へ――感謝が運を引き寄せる

第4章　会社が乗っ取られる!?
創業以来、最大のピンチとリーマンショックをチャンスに変えて躍進

第5章　人こそすべて
顧客と社員に愛されなければ企業は永続できない

第6章　あらゆることに感謝する思考が成功を引き寄せる

第1章

いつかは経営者になって金を稼いでやる

戦後、がれきの山から少年が見ていたもの

大自然のなかにある「学び」

日本においては戦争のない平和であった平成も終わり、新しい年号である令和になった今では、昭和はもはや遠い過去のようでもある。

本書の主人公・池田典義が生まれたのは一九四〇（昭和十五）年。太平洋戦争開戦の直前だ。世界に目を向けるとすでに第二次世界大戦は泥沼化していた。ドイツではユダヤ人の移送が始まり、ヨーロッパの各国を侵攻。六月にはフランス国土の三分の二がドイツの占領下となっていた。

この年の一月に親米路線の米内内閣が成立した日本も、七月に総辞職となり、次第に戦争の暗い影が見え始めた。九月に日独伊三国同盟が締結されると、アメリカからの対日輸出制限が掛けられ、国内でも男子用国民服が法制化されるなど、もはや一般市民も戦争の影からは逃れられないという状況にあった。

それから、地獄絵図のような五年の歳月。そして、その日がやってきた。

池田が小学校に入る前々年、一九四五（昭和二十）年八月十五日。

「耐えがたきを耐え……。忍びがたきを忍び……」

聞こえてくるのは、現人神とされていた昭和天皇の声だった。日本国民は一斉に跪《ひざまず》き、号泣した。

その日、日本は、多くの死者を出し、国土が焦土となった第二次世界大戦の敗戦を受諾し、ここに終戦を迎えたのだった。

池田は翌々年の四月に新小学一年生となる新制小学校第一期生だった。

戦争が終わったとは言え、残された市民は戦争が残した爪痕と、日々の困窮を抱えながら生きていた。池田の周りも、見渡せばびりびりのズボン、継ぎはぎだらけの上着を着た、洟垂れ小僧ばかりだった。近年すっかり見られなくなった「洟垂れ小僧」だが、蛋白質不足などによる栄養失調状態で、青い鼻汁が出るという。池田が少年の頃までは、こんな子どもたちがたくさんいたのである。

先生と言えば、「代用教員」。働き盛りの男性は、戦争に駆り出され、決して少なくない数の「民間戦士」が戦地で命を落としていた。教員とて例外ではなく、人手不足となった教育現場では、寺の住職や、かつて教師をしていた既婚女性など、資格の有無にかかわらず、子どもたちを教えられる大人たちが駆り出された。

手元にはガリ版。目新しい制服も、教科書もなかった。

しかし、池田が育ったのどかな足利の光景は、貧乏という以外は敗戦直後という暗い歴史のただなかにいることを忘れるほど、穏やかな時の流れに満たされていた。

六人の子どもを抱える池田の父は教師。奇しくも、池田の通う小学校の教頭として勤務をしていた。教育者であるから、さぞ、教育熱心だっただろうと思えば、そうではなかったようだ。家では勉強しろと言われたこともなければ、池田自身、勉強した覚えもないらしい。

母は典型的な専業主婦で世話好き。自分のことは後回しにしてでも子どもたちを優先するという、「立派なかあちゃん」だった。

仕事熱心な父は、仕事をすることこそが大黒柱としての唯一の役割と、家庭のことは全て母に任せていた。

「今のおれにそっくりで、家庭的じゃなかったな」

面白おかしそうに、亡き父を思い出して笑う。

池田は、姉、兄、弟と二人の妹がいる六人兄弟の次男坊。立派に教職に就く父と、家庭を最優先にがむしゃらに家事育児をおこなう母。それを見た子どもたちが優しく愛情深く育たないわけがなかった。

食糧不足に陥っていた日本では、戦時中から米は配給制となっていた。さんまを一人一匹食べられるなどとは夢の話で、二人で一匹と割り当てられた。身の多いしっぽ側を獲得するのは早い者勝ち。六人もの子どもたちがお腹を空かせ、誰がしっぽを獲得できるかと大騒ぎした日は、今となっては懐かしい思い出だ。

戦後の大家族の代名詞とばかりに、金は十分にはなかったが、両親は温かな家庭と、先祖を敬い、感謝をする心、という大切な宝を池田に与えてくれた。

小学生の頃、池田の父のかつての教え子が、突然現れた。聞けば、社会人となってから罪を犯し、指名手配されているという。

池田は子ども心にも、ひどく怯えていたことを思い出す。

「た、た、たいへんな人が来ちゃった……」

ほかの兄弟たちも、わなわなと震えて、ふすまの後ろからこっそり様子を見るしかなかった。

玄関先に立つ強面の彼が、父の元教え子だと気づいたのは母だった。

「おや、Ａくんかい。よく来たねぇ。さあさ、そんなところに突っ立ってないで、中にお入り。寒かろうから、お茶でも飲んで」

母とて彼が指名手配されていることは知っていた。何しろ小さな村での出来事だ。しかし、母は関わりたくないと言って門前払いするような人間ではなかった。

恩師の奥さんから温かい言葉とお茶をもらい、ほっとしたのか、ついに元教え子が口を開いた。

「おれ、自首したいんだ。でも誰も頼るところがねぇ。先生、一緒に警察に行ってくれないか」

その後しばらくして、父と元教え子の二人は、黙って家を出て行った。

「学校の先生ってのは、勉強を教えるだけじゃないんだな。ああやって、卒業して何年も経った後でも、こうしておやじを頼ってくるなんて」

両親を、改めて誇らしく思えた。

たとえ過ちを犯した人でも、自ら反省し自首する覚悟がある人ならば、対等に扱う。このときの両親の大きな背中と温かな眼差しを、池田は決して忘れない。

次第に戦争の爪痕からも癒えはじめた足利の田舎で、近所の子どもたちや上級生とともにのびのびと育っていった。

これと言った特徴のない、平凡な子どもだったと笑うが、こんなエピソードを聞けば、上場企業の創業者たる池田の源流が、すでに小学生の頃から見え始めていたことがわかる。

中学生になる少し前のことである。

当時、田舎ではいたるところで鳩を飼うのが流行っていた。池田の近隣でも、中学生らがこの鳩を飼育し、交配させて数を増やしていた。

それを見ていた池田も、うずうずと「やりたい虫」がうずく。しかし、鳩を飼うからには餌が必要だ。さんま一匹も十分に行き渡らない池田家に、鳩の餌代などあるわけもなかった。

「鳩は飼いたいけど、親に迷惑をかけるわけにはいけねぇ」

まだ小学生高学年だった池田が、餌代を捻出するために始めたのが、「万屋での配達アルバイト」である。夏休みには中元の、冬休みには歳暮配達のアルバイトに精を出したという。

「池田先生のぼっちゃんは親孝行だねえ」

周囲ではこんな評判も上がっていたが、池田少年には、ごく自然に「自らの力で少しでも稼ぎたい」という思いがあった。それこそが、このアルバイトを中学三年生まで休むことなく続ける原動力となっていたのだ。

自分で稼いだ餌代を元に、池田の鳩は順調に増えていった。ときには、血統書付のドイツの鳩の卵を買い、自分の鳩に温めさせて孵化させた。

今となっては時効だと思うが、卵から孵った鳩を売る、立派な商売だった。多いときには五十羽にもなり、いい小遣い稼ぎになったという。

足利の田舎道でいがぐり頭の中学生たちが話し込んでいる。その一人は池田だ。

「俺の鳩は鼻がでかいんだぜ。凄いやつに違いない」

「いや、俺の鳩の方が良い血統だ」

互いの「鳩自慢」を通じて、他校の生徒とも仲良くなり、幅広い「鳩コミュニティー」を築いていった。そうこうするうちに「商談」が成立することもあった。

「今思えば、営業の良い勉強になったんじゃないかな」

早くも中学生にして、ビジネスの基本を学んだのだった。

「鳩と電車に乗って、別の街に行く。そこで鳩を放す。僕は電車で帰ってくるんだけど、家に着くと、鳩はもうとっくに帰っているんだよ。これは興奮したね。男のロマンだよ」

まるで少年に戻ったかのような笑顔を湛えながら、弾んだ声で説明してくれた。

春や秋は「鳥餅」を片手に山に入っては野鳥を捕まえに行き、夏になれば近くの渡良瀬川で日がな一日、川遊び。野鳥獲りはとくに、朝暗いうちから山に入るために、兄や弟だけでなく、近所の上級生も一緒になって行動した。年齢を問わずに仲間を作り、ときにはリーダーシップも発揮する。

子どもたちみんなが助け合い、笑い合って生きていた。「古き良き」昭和の典型的な情景である。

現代は、子どもがいつか経営者になれるようにと、帝王学や専門性、リーダーシップを身につけさせようとする塾も盛況のようだが、本来、大自然の中にこそ、たくさんの学びの場があり、知恵をつけなければならないような場面がある。そこには心身を鍛錬し、仲間と目的を達成するためのチャンスが転がっている。

どんな逆境にも、己に打ち克つ精神や冷静さを保てる心の強さを学ぶなら、「立派な大人」に教育を任せるよりも、大自然に任せた方がよいのかもしれない。

自然科学者としてもその名を轟かせた文豪ゲーテは、『地質学について、警句的』（一八二二年）の中でこう吐露している。

自然は常に正しく、過ちは常に自分にある

自然を相手に見れば、自分が一番偉い、正しいという思いはなくなるはずだ。常に「見えないもの」に感謝をして生きるということは、自らも、そして他者をも幸せにすると、偉人たちは知っている。

あの頃、誰もが貧乏で、誰もが多くのモノを持たず、誰もが慎ましく、けれども明るく暮らしていた。

モノも情報も多い現代。あれがない、これが欲しいと大騒ぎする子どもたちを見ると、どちらの時代が幸福感に満ちていたのか、考えずにはいられない。

「家にお金がなければ、自分で稼げばいい」

自立の精神は、モノが溢れた今よりもずっと自然に抱けるのだろう。

しかし勉強となると、兄や姉のように「自然に」意欲が湧いたわけでもなかったようだ。池田

は親が何も言わないのをいいことに、遊んでばかりいた。安穏と田舎暮らしの子ども時代を謳歌し、その延長で中学生活も過ごしていた。

しかし、そんな池田を発奮させた出来事がある。中学二年生の夏休みのことだ。

池田の父は、近所のパチンコ店に出入りしていたが、あるとき、同じ教師仲間が父の隣に座った。その人は池田の通う中学校の担任。二人並んでパチンコをしていると、ふいに担任が言った。

「先生のところは、兄さんは優秀で（トップ校の）足利高校に行っているが、次男坊はだめだね。あんな成績じゃあ、とても足利高校なんかは入れないよ」

当時は、高校に入りたければ、地元のトップ校に入るしかなかった。私立高校に入る余裕のない池田家の子どもたちは、そこに入れなければ、夜間学校に行くしかない。今と違って選択肢が少なかったのである。

すでに校長にまでなっていた父も、これを聞いてさすがに焦った。たしかに勉強しろとは言わなかったが、高校に入れないようでは困る。

家に帰るなり、父は池田にこう言った。

「のーちゃん、おまえは兄弟で一番頭がいいと思っていたけど、中学の成績が悪いそうじゃないか。今のままじゃ、足利高校に入れないって、担任の先生が言ってたよ」

池田の頭から、一瞬血の気が引けた。

「え？　高校に入れないい？」

楽天家の池田も、もう呑気にしてはいられなかった。尻に火がついた池田は、この夏休みから猛烈に勉強を開始。もともとやればできる男なのだろう、一ヶ月半も猛勉強すると、一気に学力が向上した。この後おこなわれた高校模試で、なんと池田は地域で三位に入った。池田以上に喜んだのは、父であった。

「模試で三位の池田くんというのは、校長先生のぼっちゃんじゃないか」

周囲からこんな声を聞くたび、父がうれしそうにしていたのを、池田は微笑ましく眺めていた。それは池田が実感した、初めての親孝行だった。

それから一年後、晴れて地元のトップ校である足利高校に入学。高校では芸術の授業があるが、池田はもっとも費用が掛からない音楽を選択。家にお金がないことは重々承知だった。

どんなにやんちゃに見えても、親に心配とお金はかけさせない。そういう矜持《きょうじ》が、すでに池田の心には芽生えていた。

「いつかは経営者になって、お金を稼いでやる」

少年が自分の心に誓ったその思いはみごと結実し、現在、連結一七〇〇人、単体一〇〇〇人の社員の生活を養う、大きな大黒柱となった。

いつか、いつか……。

そう思いながら夢を実現できない人は世の中に多い。しかし池田のように、少年の頃に抱いた目標を、決して捨てることなく掲げ続け、ついには実現させるという人物も、たしかにこの世には幾人も存在する。

作家のリチャード・バックは著書『イリュージョン』の中で、作中に登場する本の文言として、このような言葉を残している。

ある願望が君の中に生まれる。
そのとき君はそれを実現するパワーが同時に在ることに気づかねばならぬ。
しかし、そのパワーの芽は、きっとまだ柔らかい
（リチャード・バック著『イリュージョン』集英社／村上龍訳）

夢を持つ人を勇気づける言葉だが、なぜ多くの人はそれを実現できないであきらめるのか。それは、時間がない、コネがない、能力がない、と自分に言い訳をしながら、バックの言う「柔らかい芽」を育てる努力を惜しみ、いつしかその夢さえも忘れてしまうからだ。

せっかく抱いた夢と、その可能性を自ら忘れ去ることで、夢は夢のままで終わってしまう。

言うまでもなく、夢は描いただけでは実現しない。

カネもコネもなく、戦後のがれきの山から、壮大な夢を抱き続けた少年が、いかにしてその後の人生を歩んできたのか。どのようにして「パワーの芽」を育て、大きな花を咲かせたのか。話のコマを進めよう。

一度決めたことは最後までやり抜く

池田が育った栃木県足利市は日本最古の大学とされる「足利学校」の所在地だ。フランシスコ・ザビエルが「坂東の大学」と高く評価し、世界にその名を知らしめたとも言われている。

戦乱の時代もこの学校を守り抜き、幾多の危機を乗り越えながらも、現在は室町時代からの所在地で、往年の姿に復元されている。平成の世になってから日本遺産に指定されるなど、現代にいたるまでの多くの人々が、この学び舎を守り続けているのである。

人は学び続けることで、進化を続け、心を磨き、他者を思いやれる心の広さを獲得してきた。学びを放棄した人間は、謙虚さを失い、心を荒廃させ、自己へも他者へも身勝手な振る舞いをする獣に化してしまうだろう。

人間は考える葦《あし》である　（パスカル）

風にゆらゆらとゆらめく儚げな葦のように、壮大な自然界の中のちっぽけな存在でしかない人間。しかし思索や学びの中にこそ、人間の尊厳がある、そうパスカルは言ったのだ。

その舎を仰ぎ見れば、どのような状況にあっても、学問の地を守り続けたという先人の誇りを感じ、胸が詰まる想いである。それはつまり、人間の尊厳を守り続けたことと等しい。

この足利学校は、主に儒教を学ぶ場であった。儒教の教えとは、「五常」を重んじることにより、「五倫（父子・君臣・夫婦・長幼・朋友）」との関係を良い状況に保つというものである。「五常」とは、人を愛し、思いやる「仁」、私利私欲にとらわれず、世のため人のために行動する「義」、常に相手に敬意を払う「礼」、幅広い知識や知恵を得て、道理をわきまえ、善悪を判断する「智」、人を欺かず、嘘をつかず、人から信頼されるように誠実であれという「信」から成る。

池田が常に大切にしている心がけを聞けば、このような教えを伝え続けた日本最古の学び舎が、人々に守られながら存在しているという環境で育ったという境遇は、知らずのうちに池田の生きざまに影響を与えていたと思えてならない。

足利高校で得たものは「やり遂げることの大切さ」と「自分への自信」だ。

池田が所属していた水泳部は、部員がたったの八名。それにはわけがあった。

当時、公立学校でプールを併設していたのは、少し離れた小学校一校のみ。小学生がプールを使い終わってから借りるが、そこまでも遠い。夏場限りであるのに加え、そう頻繁に借りられるわけでもなかった。

普段の練習場所は、近所の神社。社へ続く長い階段で基礎体力を付け、近くの沼に板を張って、ターンの練習をした。沼に生息するヤモリと格闘し、寒さに震えながら冷たい泥の中でおこなわれる部活に、部員が集まるわけもなかった。

しかし池田は違った。

「自分が一度決めたことは、最後までやり抜く」

こう言い聞かせ、自分への約束を破ることを決して許しはしなかった。そこまでして水泳部に所属し続けた仲間たちも同様で、優秀な選手が集まっていた。

少数精鋭のメンバーで鼓舞し合って、技術と心を鍛えた三年間は、この後の池田の人生に、大きな自信を与えたという。

引退直前まで国体出場を目指していた池田だったが、残念ながら落選。国体出場を果たした仲間たちを、心の限り応援するしかなかった。

しかし人生とは面白いものである。

「夢はあきらめなければ、夢で終わらない」というが、この後、数十年も経ってから、池田は役員という形で国体に「出場」した。選手という形ではなくとも、国体に参加できたことの喜びを、高校同窓誌で吐露している。そしてこうも言う。

「たった三年間でも、もしかすると人生の生きざまはこの時期に決するものであり、その後の基となるのではないか」

池田にとって、多感で、体力もあり、好奇心に満ちている学生時代の三年間に、やり遂げることの大切さと達成感を胸に刻んだのは大きかった。

この後、池田の人生にはいくつものターニングポイントがあった。他者から見れば逆風とも逆境とも思えるその場面で、若き頃に鍛えた忍耐力と突破力を活かし、幸運を引き寄せてきた。

池田の「幸運体質」の土台は、まさにこの三年間で築かれたのだろう。

「文武両道」で苦難に耐える

「徳」がある人、という言葉がある。儒教の教えに言葉を借りれば、「五常」を尊び実行する人間は徳がある、と言ってもいいだろう。

そして「徳」がある人は、人生の分岐点で「得」をすることが多い。それは日々の徳に対する、神からのちょっとしたご褒美なのだと思う。

地元のトップ校に進学したとはいえ、当時の日本で大学へ進学する者はほんの一握りだった。田舎であればなおさらである。

文部科学省調査によれば、二〇一六年度統計で、大学進学率（短大含まず）は五二％（男子は五五・六％、女子は四八・二％）。少子化の影響で、もはや大学全入時代と言われている。

池田が大学へ入学した一九五九年を同じ統計で調べると、全体で八・一％（男子は十三・七％、女子は二・三％）。いかに進学率が低いかが想像できるだろう。まさに「選ばれし者」のみが許された道が、大学進学であったのだ。

六人の子どもを育てる池田の家に私立大学へ行かせる資金があるわけもなく、大学へ進学するには「国立・現役」が必須条件だった。

「それはもう、何が何でも守らなければいけない厳命でした」

国公立と言えば、いくつか頭に浮かんだ大学があったが、合格するか不安があった。その池田を救ったのが、隣家に住む優等生だ。同じように国立大学を目指している彼は、埼玉大学という国立大学があることを教えてくれた。

結果、親の厳命である「国立・現役」を守り、大学進学を果たすことができたのだった。その情報が得られなかったら……、そう思えば、隣人の学生を介した、神からのサプライズだったのかもしれない。

しかし池田が驚いたのはまったく別のことだった。

「びっくりしたのがね、大学に入ったらみんな貧乏だったことだね。学費をアルバイトで稼いでから、半年経ってようやく授業に出席し始める学生もいたし、寮費はなんと、月額でたったの一〇〇円だった。けど、みんな優秀だったな」

池田が大学へ進学した一九五九年四月。昭和天皇の皇太子（現上皇）と美智子様（現上皇后）のご成婚パレードがおこなわれると、前年からのミッチーブームは最高潮に達し、日本中がいっそう華やかな空気に満たされた。

五月には、一九六四年夏季オリンピックの開催地が東京に決まるなど、戦後から立ち直った日本人が誇りを取り戻し、それを世界が認め始めた、そんな晴れやかな年であった。

ここに一枚の写真がある。池田の友人が送ってくれた、大学時代に撮ったものだ。色あせた褐色をしたその写真には、木々に囲まれた小さな校舎の前に並んだ教師と少数精鋭の学生たちが笑顔で写っている。が、ここに池田はいない。

「ワンダーフォーゲル部に入っていてね、毎日のように山に登ってたから、ここには写っていないんですよ」

池田は夏山を中心に八ヶ岳や日本アルプスの山々を踏破した。重いザックを背負い続けた背中には、大学を卒業してから十年もの間、あざが消えずに残っていた。高校の水泳部時代に鍛えた根性を武器に、泣き言も言わず、山に登った。

仲間と列を作って黙々と歩く。麓では蝶や虫が飛び交っているのに、山頂に近づくと虫さえもいない。酸素が薄くなり、生息できる植物も限られてくる。

儚く見える小さな花が、大きな顔をした人間よりも強いことを知る。自然界に身を置けば、どれだけ自分が取るに足らない小さな存在かを思い知らされる。

この感覚と思考の繰り返しは、傲慢になりがちな人間の心の緩みをきゅっと締めてくれる。自分を取り囲む大自然、頭上に広がる青空、癒してくれた小さき花、ともに山を登る仲間、この世に生を授けてくれた両親や先祖。一歩一歩踏みしめながら、自分が感謝に足る人生を歩んでいたことを確かめ、また感謝する。

言葉少なに足を運んだ先に、パッと開ける下界の景色。一足《ひとあし》一足、歩みを進めてこの地に辿り着いた。その軌跡に思いを馳せるあの瞬間がたまらない。

多くの登山家が、山に挑み続けるのは、この一瞬のためなのかもしれない。

一歩歩けば、確実に、前に進む。この当たり前の感覚を、社会に出て、見えない壁や、やり場のない怒り、思わぬ不遇にぶち当たると、忘れてしまう。

前に進めばいい——。この単純なことを。

考えるからこそ人間の尊厳があるというパスカルの言葉を前述したが、人間が、心と体を分離させて生きていくのは難しい。心を十分に働かせることができるのは、土台となる肉体の強さが必要だ。

高校生だった池田が、国体という夢に向かって挑み続けた水泳のひとかき。

山頂から見るあの美しい景色のために、背中にあざを作りながら踏みしめた一歩。

このような肉体での感覚が、記憶とともに沁みついているからこそ、この先の逆境も乗り越えることができたのだろう。

苦難を前にしても動ぜずに、的確な判断ができたのは、文武両道の青年時代の賜物と言えるのかもしれない。

第2章

起業する前に、まず一流のサラリーマンを目指す

成績優秀な営業マン時代

波に抗わず、波の先を捉える

平成時代、長らく就職不況が続いたのち、コロナ前までは大卒の就職状況は売り手市場の状況が続いていた。売り手市場と聞けば思い出すのが「青田買い」という言葉だ。

じつはこの「青田買い」という言葉は、池田が大学を卒業した一九六三年ごろから誕生した。つまり池田の就職活動時期は売り手市場だったということになる。

就職状況も今とは大きく異なっていた。誰もがほぼ平等に情報を得られ、その中で就職先を選び選ばれるという現代。一方、当時の大学は企業と密接につながっており、ゼミの担当教授の口利きで就職するというケースが王道とされた。

国立大学や一流私立大学は世間からの信頼も高く、「指定校制度」として、多くの優秀な学生を企業に送り込んできた。池田の大学も例外ではなく、ゼミの教授から特定の企業への推薦を受けるという状態が通例化していた。

そんな中、池田は当時、総合商社十社に数えられる会社への就職を薦められた。今はなき、安《あ》宅《たか》産業である。一九〇四年創立の由緒ある総合商社だったが、ほかの多くの商社同様、戦後のＧＨＱによる財閥解体のターゲットにされるなどの危機に直面した。

もっとも、安宅産業はＧＨＱとの交渉によりこれを免れ、十大商社の十番目とはいえ、依然、著名な総合商社としての地位を維持していた。

子どもの頃からの貧しさを経験した若者が選ぶ道は二つある。

一つは、より堅実に生活の糧を得られる道。

もう一つは、多少のリスクが想定されても、可能性に掛ける道。

池田は後者だった。

就職が売り手市場の時代は、一般的に前者を選ぶ傾向にある。大きく有名な組織に入れる可能性が、買い手市場の時代よりも高くなるからだ。

池田はなぜ、売り手市場の就職期に、当時有名企業とされた商社への推薦を断ってまで、別の道を歩んだのか。

就職活動をしていた一九六二年、二十二歳の池田は大学の求人コーナーに赴き、目を瞠《みは》った。

「こんな金額を出す会社があるんだ……」

池田が驚いたのも無理はない。なにしろ、平均的な企業での大卒初任給一万七千円に対し、二万六千円という高額を提示していたのだから。

企業情報に目を向けると、外資系企業の求人票だった。英語が得意とは言えない池田だったが、その魅力的な金額を見て、応募しない手はなかった。

反対したのは教授である。

「外資なんて、二軍が行くところだ。老舗商社こそが、一軍の行くところ。外資への推薦状なんて、絶対に書いてやらん」

当時はまだ、外資系企業へのアレルギーや偏見があったのだろう。保守的な校風の大学であれば、なおさらだ。

「有名企業に入ることが将来の幸せにつながる唯一の道筋」

そう信じていた教授にとって、高く評価していた教え子が敢えてその道から逸《そ》れようとすることに、忸怩《じくじ》たる思いがあったのだろう。教授なりの、親心だった。

しかし、池田はあきらめなかった。たとえ動機が不純だと言われようとも、自分の選ぶ道は、外資へのチャレンジだとしか、このときは思えなかった。

当時、就職を希望する学生は、教授からの推薦状がないといかなる企業にも応募できなかった。教授のもとに足を運び、何度も拝み倒した。池田の熱意に根負けしたのか、教授はしぶしぶながらも、推薦状を書いてくれたのだった。

まだ採用されたわけでもないのに、なぜか池田はほっと安堵の溜息をついた。

「たくさん稼いで、いつかは商売をやりたい」

少年の頃から漠然と思い描いていた夢に、一歩近づいた気がした。

池田が山歩きを中心とした大学生活を謳歌していた頃、日本には急速にモータリゼーションの波が押し寄せていた。

戦後の高度成長を象徴する「三種の神器」が一通り家庭に行き渡った時代を経て、「新三種の神器」とされた「3C」、すなわちカー、クーラー、カラーテレビが、庶民の憧れの消費財となり、これらは国民の生活をより一層豊かにした。

大衆自動車の普及により、空前のマイカーブームが到来。一九六二年の原油輸入自由化によって、エネルギーの代名詞が、石炭から石油へと変わっていった時期でもあったことが、その消費を大きく後押しした。

日本における、エネルギー革命と呼ばれる時代である。

大卒者に、日系企業の一・五倍もの初任給を提示したのは、新しいエネルギーの主役を扱う、石油会社であった。

一八七〇年にアメリカで誕生したスタンダード・オイル社は一九一一年、アメリカで独禁法に則り、三十四社に分割され、さらに改組や再編などを繰り返した。

日本では一八九三年に上陸していた二つの石油会社が合併され、一九三三年にスタンヴァック（スタンダード・バキューム・オイル）日本支社が誕生する。そして日本においても、スタンヴァック社は、アメリカの独禁法の抵触を避けるために、二社に分割された。

そのうちの一つがモービル石油であり、もう一つがエッソ石油（当時エクソン・スタンダード）である（二〇〇二年再合併、のちのエクソンモービル社となった）。

池田が目にしたのは、一九六一年に設立されたばかりのモービル石油株式会社の日本法人の求人だった。

一九五〇年代の中東やアフリカでの大油田の相次ぐ発見により、安価に石油が手に入るようになり、さらに日本への輸出が自由化された。世界の石油会社は、モータリゼーションの波に乗る日本を新しい市場と捉えた。この後、日本でも石油業界は活況を呈することになる。

時代の波が大きく動いていた。

その大きな流れの中で、池田は大海原にチャレンジするサーファーのごとく、波に抗わず、波の先を捉えて自身の未来を拓いたのだった。

長らく続いた安定した企業。これからの時代を先取りするであろう企業。

周囲の反対を押し切っても、池田は迷わず後者を選んだ。そしてその道は、今もなお池田の前に続いている。

一方、池田が就職先として選ばなかった安宅産業である。

就職活動当時、池田ら学生や教授などの学校関係者はもちろんのこと、世間の人々はこの「老舗の安定的な総合商社」の存続を、信じて疑わなかった。

しかし、このときすでに、瓦解《がかい》は始まっていた。

堅実な経営者として腕を振るった創業者が退いたのち、同族後継者による豪奢な生活と散財、親族による利権争い、派閥同士の売上の奪い合い、それに乗じた粉飾決算。そして万年、総合商社十社目という焦りと競争心が招いた無謀な投資や事業拡大。

一九七七年、事実上の破綻により、伊藤忠商事への吸収合併という形で、安宅産業は七十三年の歴史を閉じた。

この破綻劇の大きなきっかけとなったのが、安宅産業による石油産業への進出の失敗だったという。どうしても石油産業に参入したかった安宅産業側は、取引先から足元を見られ、大きな負債を抱えることになった。この後も、同様の負債が雪だるま式に膨らみ、もはや収拾のつかない状況にまで陥っていた。それでもなお、多くの社員は「うちが潰れるわけがない」と高をくくっていたという。

歴史のある企業が「百年を超える老舗企業」となるかどうかの分水嶺《ぶんすいれい》は、会社の危機に際し、経営者を含め、どれだけ多くの中枢部が危機感を抱いているかに尽きる。残念ながら、危機感が麻痺した同社は、市場から姿を消すことになった。

この後、石油会社に勤め、石油産業に支えられ、そこから世界を広げていった池田と、安宅産業の辿った道を思うと、運命のいたずらを感じざるを得ない。

池田の直観と信念が、運命の明暗を分けたのだった。

将来有望な逸材になる人の特徴――「能力の高さ」「可愛げ」「生意気さ」

「これが都会か……」

横浜駅に降り立ったとき、空を見上げて思わずつぶやいた。

一九六二年、大学四年生だった池田は、モービル石油株式会社の採用試験のため、本社がある横浜の地を訪れていた。横浜と言えば、文明開化の地。その薫りが、流れてくる風に乗ってくる気がした。

当時の就職状況がいくら売り手市場だとは言え、初任給の高い企業とあって、倍率は三十倍を越えていた。

「チャンスさえくれれば、なんとかなる」

自身を奮い立たせるように、心の中で何度も反芻した。からくも学科試験を通過し、面接に入る。面接は二段階に分かれていた。一つ目は、実務系のベテラン社員による面接。二つ目は、取締役などの重役数名による面接。勢い勇んで第一会場に足を踏み入れる。

「君、石油会社に希望しているからには、バーレルの単位はわかりますよね？」

開口一番、ある面接官が言った。

「石油を測るのだから、液体を測るリットルみたいな感じですか？」

「なに、君、知らないの？」

「僕は、石油会社に入りたいというよりも、給料が良かったからこの会社に入りたかったんです」

面接官は、模範解答から遠く離れた池田の返答に顔を見合わせた。次の瞬間、どっと笑い声が溢れた。

続いては、役員面接である。時間は午後三時を過ぎていた。

ほんの数分の休憩時間、学生たちにコーラが配られた。赤貧の幼少期から学生時代を過ごしてきた池田にとっては、その黒い炭酸ジュースは、生まれて初めて見る飲み物だった。恐る恐る口に入れると、炭酸も強いし、甘いし、ほろ苦い気もするし、なんとも言えない味がした。

苦虫をかみつぶしたような顔の池田を見た役員が聞く。

「池田君は、コーラは飲んだことなかったかね？」

「初めてです。アメリカ人って、本当にこんなに不味いものを飲んでいるんですか？」

大真面目に答える池田を見て、今度はその場にいた役員たちが、どっと笑う。

あまりに素朴で正直な池田は、お世辞や咄嗟の嘘がつけない青年だった。その素直さに惹かれたのか、大卒新入社員二十五名の中で、二つの面接試験を両方ともクリアしたのは、池田だけだったという。三十倍という高倍率を突破し、モービル石油株式会社に入社した。

もちろん、笑いを取ったことが、合格の最大の理由ではないだろう。池田の仕事に対する意気込みを、面接官は高く評価した。これから日本で城を築かなければならない外資である。溌剌として明るく、前向きな若者を、一人でも多く採用したいと思うのは当然だ。たとえ、「バーレル」を知らなくても。

モータリゼーションから遠く離れた、車も持たない苦学生も、石油会社に入社したのちとなっては、その新しい時代の波を肌で感じざるを得なかった。会社からは、入社前に運転免許を取るよう指示があり、費用も支給されるという。

しかし、池田は、免許を取らずに入社の日を迎えた。免許取得費用を立て替えるだけの貯えが、彼にはなかったのだ。

車の免許を持たない。それだけで劣等生として扱われた。

「埼玉大学の池田君、手を上げて」

はい、と手を上げると、こう嫌味を言われた。

「君、バーレルも知らなかったね」

面接のときに、この質問をした人物が、トレーニング時の担当教官役の上司となっていた。もちろん、こんな嫌味にへこたれる池田ではない。それどころか、こんちくしょうとばかりに、密かに反抗心も抱いた。

結局、運転免許がなければ仕事が全うできないと判断され、仕事を二時間早く切り上げ、勤務中に免許を取る機会を与えられた。

にもかかわらず、である。

教習所に行くと言っては、ときおり抜け出しパチンコ通い。なかなか免許を取得できないのはおかしいと目をつけられ、しまいにはそれが発覚して、事務担当の社員が「監視係」として、自動車教習所に同行する羽目になった。

「高倍率のモービルに入社して、安心しちゃったんだよね」

面接でトップの成績で入社したものの、気が緩んだのか、新人研修の現場では車を壊したこともある。

会社近くの単身寮に住んで、夜はマージャンを楽しんだ。池田が自身を「やんちゃ時代」と呼ぶ、懐かしき新人時代だった。

そんなやんちゃ青年を、周りの人は温かく見守った。親友となった同期の母親は、会社で秘書をしており、ことあるごとに救いの手を差し伸べてくれた。

「池田君はね、本当に良い子なんですよ。仕事もできるし」

彼女は、いつもこう言って大きなやんちゃ坊やを息子同様に可愛がった。

将来有望な逸材になる人の特徴を、こう言いあらわした人がいる。

「能力の高さ」「可愛げ」「生意気さ」

池田の「やんちゃ時代」を思う時、まさにこの「三つの特徴」がすべて備わった逸材だったのだろうと想像がつく。

一人ひとりをリスペクトしながら接する

三ヶ月の本社研修ののち、本配属の辞令が出された。

「東京支店勤務」

辞令を受けて、池田は、花の都・東京だと内心ガッツポーズをした。ところが、蓋を開けてみれば、「東京支店静岡営業所」。同期が横浜本社や東京支店の都会での勤務となるなか、池田は新人でたった一人、静岡県へと配属された。

当時、同じ会社から袂を分かったモービルとエッソは、東京や神奈川などの都会以外の地方では、当初それぞれの代理店を、栃木はモービル、群馬はエッソ、という具合にエリアごとに棲み分けをしており、静岡県はエッソの管轄だった。会社としては、その地を開拓する必要があった。

当時、日本における石油業界は、黎明期から発展していく過程の大切な時期。池田の仕事は、自社であるモービルブランドを冠した代理店がまったくない状況から、営業を積み重ねて特約店を増やすという、新規営業が中心だった。新人ながら、「切り込み隊長」としての役目を仰せつかったのだ。

おそらく研修時代のさまざまな「やんちゃ列伝」を耳にしていた人事が、そのくらい元気な人間でないと難しい仕事だろうと踏んだのだろう。

からくも新人研修期間に取得した運転免許を手に、月賦で買った新車の「ブルーバード」を駆って、横浜から静岡へと向かった。

取れたての免許での長距離運転。手が震えた。

「しばらく運転はしたくない」

アパートを見つけるまでの間に会社が用意してくれた旅館のおかみには、何日も動かさない新車を見て、盗難車ではないかと訝《いぶか》られた。

新しい土地で、まったく白紙の状態からガソリンスタンドの現場を回る毎日を送った。誠実で一所懸命な人柄は必ず伝わる。一店舗、また一店舗と、池田の話を聞いたガソリンスタンドのオーナーたちは、ある店舗はエッソから、ある店舗は独立系からモービルブランドへの看板を付け替える「マーク替え」をしていった。

池田が当時を振り返って幸運だったと語るのは、配属先の静岡営業所のメンバーに恵まれていたことだった。当時、静岡県はモービルにとって新規開拓地。営業所もまだ小さく、社員は新人の営業部員である池田、課長、そして営業所長に、事務員の女性が一人いただけだった。

この中の課長は、もともとは代理店の社員であったが、元売りであるモービルが課長職の社員という高待遇で迎え入れた人物で、大変な苦労人だったという。

どの業界でも独特かつ暗黙のヒエラルキーがあるものだが、石油業界にも当然それはあった。本来、現場で業務をおこなう従業員がいてこそ、その業界のピラミッドは成り立つものである。感謝され、もっと評価されて然るべきだが、悲しいかな、どうしても人間は上ばかりを見る生き物だ。とくにインフラを担う業界にいると、その手綱を握っているのは、現場を動かす者ではなく、ピラミッドの頂点の企業だという認識ができてしまうのだろう。

「ガソリンスタンド側からすると、元売りとは、神のような存在だった」

日本におけるモータリゼーションがもっとも花開いたあの時代、決してそれは大げさな話ではなかった。

かつて代理店の社員だったという課長も例外なく、代理店時代、元売りの社員からは冷たく接せられていた。年齢や現場経験が長いはずの代理店やガソリンスタンドの従業員に、若手の元売り社員が高飛車な態度を取るのは珍しいことではなく、日々どのガソリンスタンドでも同じような構図で仕事は流れていた。

課長は生意気な元売りの若手社員に痛めつけられてきた過去の経験のせいで、新卒のエリート社員がどんな人物なのか、戦々恐々としていた。

ところが、本社から送り込まれたという新人は、田舎出身の素朴な若者である。

池田は決してエリート面《づら》することなく、新人としての責務を全うしようという思いだけで、課長や営業所長に真摯に接していた。

「池田君は教え甲斐があるよ」

課長は目を細めながら、池田を可愛がり、手取り足取り業務内容を教えてくれた。新卒で、まったくの素人である池田に親切に対応してくれたのは、池田が組織の冠を笠に着ない素直な好青年だったからにほかならない。

それは営業所長に関しても同じで、日系アメリカ人である彼は、日本の商習慣や民族性に馴染めない部分も多くあったようだが、池田が持ち前の明るさで一つひとつ「日本流」を伝えたことで、コンプレックスから解放されていったという。「人情」という言葉を理解させるのは難しかったと笑うが、池田のこうしたコミュニケーション能力は、営業所の外でも大いに発揮された。

「池田君が来てから、現場が明るくなったよ」

ガソリンスタンドの「親父」から、言われた言葉だ。

代理店や個人店のガソリンスタンドの社員に対しても、同じ業界を担う仲間として平等に扱い、「エージェントの社員のためにできることはなにか」と自問しながら、仕事を進めていった。ガソリンスタンドで働く従業員たちは、池田とのフラットな関わり合いの中で、自身の仕事に誇りを取り戻したにちがいない。

生き甲斐というのは自分の存在意義を認められてこそ感じるものである。池田は彼らに、「君らは現場になくてはならない存在だよ」という事実を、誠意をもって伝え続けたのである。

モチベーションの上がった組織は明るくなり、活性化する。そしてその明るさに人々は惹きつけられ、商売もうまくいくようになるものだ。わが子のように大切に従業員を思っていた「親父」からすれば、こんなにうれしいことはない。

池田のこうした、一人ひとりをリスペクトしながら接するという姿勢が、彼が「一流の営業マン」となったことの、さらには、のちに創業社長へとなるための「必要最低条件」となるのだが、もちろん、このときの池田には知る由《よし》もない。

池田は会社の売上を伸ばすために、ガソリンスタンドの現場で働く従業員たちと心を通わせ、彼らがどうしたら良い仕事をすることができるかを考えた。

「将を射んと欲すれば先ず馬を射よ」

杜甫《とほ》が残した言葉である。何か大きな目的を達成したいと思ったら、その周辺から巻き込み味方にして攻略すべし、という意味である。

それを知って池田が行動したわけではないが、結果として彼のやってきたことは、この言葉を体現したことになる。

知識と体験が結びついたとき、初めて教養として、その人の血となり、肉となる。

一流のサラリーマンになるための条件

「起業したければ、まずは一流のサラリーマンになれ」

池田は常々こう言っている。

モービル石油入社から四年間の静岡営業所時代のエピソードからもわかるように、池田は常に、自分の成績のことよりも、相手を想う気持ちの方が勝っている。

これこそが、一流になるための、最初のハードルだという。

池田がまだ二十七歳のときの、こんなエピソードがある。静岡営業所から横浜支店へ転勤となったあとのことだ（入社当時、本社は横浜にあったが、その後東京に本社が移り、横浜支店となった）。

当時、ガソリンスタンドには、同じエリアでの店舗数制限と、隣り合う店舗との距離制限が通産省（当時）により定められており、エリアを管轄する石油協同組合へ申し出をして、その規制の範囲内で出店することになっていた。

あるとき、池田の取引先が、新たにガソリンスタンドを出店するため、組合に相談を持ち掛けた。するとその情報を先取りした会社が、先に申請をしようとした人を出し抜いて出店申請してしまったという。相手は大手。個人の企業が太刀打ちできるはずもなく、池田の取引先は泣き寝入りするしか、なす術《すべ》はなかった。

このような理不尽な問題が身近で起こったとき、池田は決して「はい、そうですか」と納得しない。社会に出て五年しか経たない若造だったが、正義感だけは誰にも負けない男だ。取引先から話を聞くと、さっそく大元締めである石油協同組合へと足を運んだ。

池田は錚々たるメンバーのいる中で、ことのいきさつを丁寧に説明した。規制に準じれば、先に「書類を提出」した大手企業が出店するというのが理に適っている。そのことは、池田とて、百も承知だった。しかし、組合へ先に「口頭で意思表示」をしたのは池田の取引先だ。たしかにルールに従うことも大切だが、ここには個人の生活が関わっている。取引先は個人店。出店できなければ、ガソリンスタンドという生業ができなくなる。

青臭い正義感であることを承知したうえで、池田は何度も、石油協同組合に足を運んだ。来る日も来る日も足を運ぶうち、組合側の姿勢も変わっていった。

組合としては、規制を順守するのが当然であり、それを逸脱するようなことを許可するわけにはいかない。これは正論である。しかし、組合とて、機械の集まりではない。人と人。血の通ったもの同士が集まった共同体だ。

組合側も、池田やその取引先の言い分に、幾度も耳を傾けてくれた。そして最終的には、「どっちもどっち」という結論に、同意してくれたのだった。すなわち、あとから情報を知った大手が出店するのは申請の順序上、仕方のないことだが、最初に出店の意思表明をしたオーナーにも、店舗の出店を認めさせるというもの。

当時の業界のタブーを破るものであったが、これをも可能にしたのは、池田の正義感と、池田の意見を真摯に受け止め、対応した協同組合の柔軟さの賜物である。いくら池田が情に訴えようとも、石油協同組合側の懐の大きさがなければ、成立しない解決方法だった。

地元屈指の大物人物は、この一連の出来事に、こう唸った。

「組合にはもちろんだが、外資にも、あっぱれなニッポン人がいた」

「黒船」である外資の中にも、情の厚い日本人がいたことの意外性に、彼はひどく喜んだ。池田はこの件を機に、この大物人物に可愛がられ続けたという。

社内でも、理解ある上司に恵まれてきた。

「池ちゃん、君のような部下は初めてだよ」

日系カナダ人の支店長からは、笑ってこう言われたことがある。

「普通はさ、上司というものは部下にはあれしろ、これしろ、と言うんだよ。だけど、池ちゃんには逆。あれはするな、これはするな。池ちゃん、必要以上にいろんなことするから、止めるのが大変だよ」

俺はいつも余計なことするから、と前置きしてから、それが本当はもっとも大切なことだと池田は思っている。

日系カナダ人の上司はその後も池田を可愛がり、信頼を寄せていた。のちに池田の会社に娘を入社させたことを聞けば、その信頼の厚さがわかるだろう。

「一流になるためには、会社からも、取引先からも頼られる人でなければだめ。自分のメリットしか考えない人は、たとえ優秀でも自分の器以上には大きくなれないんですよ」

私利私欲を排除して、「忘己利他《もうこりた》」の精神で自ら持つ能力を最大限に発揮し、社会に還元しようとする人が、「一流」と呼ばれる。優秀であっても、この精神が欠如していれば二流であって、決して一流と呼ばれることはない。

池田がもう一つ強調するのは、「実践」と「継続」だ。崇高な利他の精神をいかに実践し続けられるか。目の前の人を助け、その人の背後周囲にいる人々を助け、次第に社会へとその対象を広げていく。

それらを続けた人のことを、人はきちんと見ているものである。

まっさらなフィールドに、切り込み隊長として挑戦した静岡勤務時代、そして業界の古い習慣や、正直者が馬鹿を見るような現実に立ち向かった横浜支店時代、そしてそのとき仕事を共にし、池田を見守ってくれた上司たちの一人ひとりの思い出を振り返り、池田は自信を持って言う。

「一所懸命にやることですよ。やっていれば、必ずそれは伝わるものだから」

「偶然」「必然」「運命」は、表裏一体

「そりゃあもう、成績優秀、順風満帆」

会社員時代の評価について、ユーモラスな表情を浮かべて、こう語った。

当時、モータリゼーションを支えるインフラとして、ガソリンスタンドの増設が急務になっていた。既存のオーナーに営業を掛け、新規店舗設立を促す。前述したような「一流の仕事」をするための努力を積み重ね、池田の担当するエリアは目を見張るような出店率となっていた。入社して数年で、すでに押しも押されもせぬ優秀な営業マンとしての評価を確実にしていったのである。

池田が一流のサラリーマンになることを目指したのは、いつかは起業するという夢があったからだ。そのために、自ら課したのが、「十年は勤め上げる」ということだった。

だが、実際には八年でモービル石油を退職している。この二年間の矛盾にこそ、池田の人間性が見えてくる。

池田は、本来十年は勤めるべきだという思いを今でも持っている。彼自身もそのつもりで入社し、八年で辞めるつもりなどさらさらなかったという。

それはある意味では成り行きであるが、もしかしたらその転換期を、見えない力が池田に用意したのかもしれない。

「日本人は〝偶然〟という言葉を軽く見るが、自分にとって偶然とは、運命のごとく重い」

池田はある雑誌のインタビューにこう答えているが、「偶然」と「必然」と「運命」は、ある意味で表裏一体のように思える。

偶然の出来事を、「あれは必然性のある出来事だったのかもしれない」と認識し、自分の人生に活かしていくと、あるとき、「これは運命だったのではないか」と、はたと気づくことがある。

「偶然」をこのような「運命」に変えていくのは、受け取り手の想いと行動次第なのだと思えてならない。

池田はこの後も、自分の身に舞い降りた偶然を、そのように活かされるべきだったと思わせるような「運命的な出来事」に変えてゆく。

池田が図らずも八年でモービル石油を去ることになったのは、このような偶然の積み重ね、つまり、成り行きだった。

金銭的、地位的なプラスにならないことも引き受ける

「ちょっと、池ちゃんいいかな」

横浜支店時代のことである。尊敬していた先輩に、あるとき声を掛けられた。

「この案件、今の俺にはちょっとできそうもないから、頼むよ」

先輩が言うには、上役からある仕事を頼まれているという。しかしすでに多くのプロジェクトを抱えていた先輩は、池田に「代役」の白羽の矢を立てたのだ。

社内の上役に、ＩＢＭに勤める甥を持つ人がいた。甥は神奈川を担当する部署におり、この上役は、甥のＩＢＭでの業績アップに寄与できる人物を探していた。

「うちにも代理店にも良い話だと思うから、ＩＢＭ側から話を聞いてみたら」

上役は言った。それは、これから起こりうることをまったく想像できないほどに、軽い口調に聞こえた。

先輩の代わりに選ばれたと言っても、社内で何かの役職を与えられたわけではなく、上役の甥の成績を上げるための抜擢であるから、池田にとって、金銭的地位的なプラスになる類のものではない。そこを引き受けてしまうのが、池田である。先輩も、お人好しな池田の性格は織り込み済みだったのだろう。

誰かが投げた石が、いくつかの場所に当たったのち、自分の手に落ちることがある。手にしたものが良いものであれば「棚からぼたもち」とも言えようが、そうでなければ、自分の不運を恨むだろう。

池田の手に転がってきたものは、いったいどんなプロジェクトだったのか。

ＩＢＭに勤務する上役の甥は、企業相手に自社のシステムを売り込む営業をしていた。そこで、多数のガソリンスタンドを代理店として持つモービル石油を通して、エリア内のガソリンスタンドに一店舗でも多く、システムを売り込めば手っ取り早いと考えたのだった。

池田は大枠を承知したうえで、せっかくなら本当に良いものを代理店各社に提供したいと考えた。わがことよりも、相手の幸せを願う池田である。

ガソリンスタンドを日々回る中で、事務作業が煩雑で手間がかかることはわかっていた。ガソリンの価格は売り先によって単価を変える「一物多価」。つまり、法人客と個人客、そしてそれぞれの購買履歴などでも単価を分けている。加えて原油価格の変動によってもその価格が変わる。

当時は売掛での精算方式であったため、単価の違う顧客ごとに、個別に請求書を作成する。これらの複雑な作業には、ベテランの力が必要だった。

ベテラン社員は事務員として既存店舗を離れられず、新人を育てる時間もない。ついには新規店舗開設に必要な人員が揃わなくなり、オーナーは出店を決断することができなくなる。結果、店舗を増やせば増やすだけ儲かるという、世間の需要とは裏腹に、ガソリンスタンドの出店ペースは鈍くなっていた。

時はおりしも、コンピュータが出始めた頃。世界では一九六五年頃から、「コンピュータ第三世代」と呼ばれる時期に入っており、日本も徐々にコンピュータ化の波音が聞こえ始めていた。

池田はそこに目をつけた。

手作業でおこなっていた請求書作成作業を、誰でも簡単にできるようにシステム化し、ベテラン要員の手間を省くことはできないだろうか。

さらに、代理店各社が共同で使えるデータシステムであれば、多くのガソリンスタンドの社員は無駄な作業から解放され、効率よく、本来すべき仕事に専念できる。そうなれば新規出店も増えるだろう。こう考えたのである。

ＩＴ業界大手であるＩＢＭに、システムを開発してもらい、モービルの代理店へ広げていく。神奈川エリアで成功事例を作れば、全国でも通用するはずである。

池田にとって、顧客満足は何よりの命題であるし、ＩＢＭ社員にとっては、自分の成果となる。モービル側も代理店の新規出店を阻む要因を排除することで、店舗数を増やすことが容易になる。

ＩＢＭ側はそれを売るのだから、新規店舗が増えれば、売上は伸びるだろう。

作業効率が上がり、出店が加速すれば代理店側のメリットは言わずもがな。

まさに近江商人の唱えた三方よしである。これ以上、素晴らしい企画はない。

……はずだった。

誰かの不幸のもとに、成り立つ幸福などあってはならない

いかに優れたシステムであっても、当時はまだ、一軒一軒のガソリンスタンドに、個別のシステムを入れるほどコストは下がっていなかった。

池田は一店舗あたりではなく、何店舗かまとめて同じシステムを導入し共有化すればコスト単価も下がると考えた。そこで、プロジェクトを開始するにあたり、このシステムがいかに、ガソリンスタンドの業務の効率化に役立つかを、神奈川モービル会という、モービル石油のエージェントが集まる団体に説明した。

それはもちろん、彼らがその有益性を認めて、団体としてシステムを買ってくれることを期待してのことだった。

「それは素晴らしいアイデアだ」

みな口々に、池田が説明するシステムに賞賛の声を上げた。

「神奈川モービル会が賛成してくれるなら、大丈夫だ。よし、これでいける」

総論に賛成をもらった池田は、さっそくＩＢＭ側とプロジェクトに着手することにした。システム開発には、池田が新人研修時代、世話になった先輩も全面的に協力してくれ、ガソリンスタンドの業務に精通した者でしかわからないような、痒いところに手が届くシステムの完成が間近となっていた。

こうして、意気揚々と進めてきたプロジェクトだったが、いざ納入の話になると、神奈川モービル会は開けていた門戸を閉ざした。

「池田君が、『このシステム良いでしょう？』と言うから、『いいね』と言ったし、『便利になりますよ』と言うから、『それはあったら便利でしょうね』とは言ったけど、われわれがこれを買うとは言ってませんよ」

たしかに、池田は「神奈川モービル会が買う」という言葉そのものを、聞いたわけではなかった。ＩＢＭ側にも、買い手があることを前提にプロジェクトを認めたのであって、回収の目処《めど》が立つ前から会社の費用をつぎ込んでシステム開発しろとは言っていない、という言い分があった。

しかし、すでに開発は進んでいて、注ぎ込んだ費用も八千万円（現在価値に換算。以下同）に上っていた。

誰もが、見たこともないものへ巨額の投資をすることには否定的だった。池田はモービル石油代理店のために開発したつもりであったが、彼らは、「買うとは言っていない」「リスクを抱えるならいらない」と、取り付く島もなかった。契約書を交わしたわけでも、口約束をした覚えもない神奈川モービル会からしてみれば、それは当然の理屈だった。

この注ぎ込んだ巨額の開発費用をどう調達するのかも目処が立たず、プロジェクトは暗礁に乗り上げた。そのとき、池田はまずこう思った。

「確実に買い手があるかを確認しないで、進めてきた自分が悪い」

それを確認すべき立場にあるのはＩＢＭの社員も同様だが、自分より若いＩＢＭ社員が、本件の責任を取って会社を追われることになったら、絶対に後悔する。彼の未来を潰すようなことはあってはならないという思いが、池田の心を支配した。

パートナーに責任を押し付けて、たとえ自分が責任を免れたとして、それが本当に自分の生き方なのか。

誰かの不幸のもとに、成り立つ幸福などあってはならないのではないか。

そういう生き方を、自分は許せるだろうか。

「責任を取ってこの事業を引き取るしかない」

そう決断したものの、資金調達は容易ではなかった。いくら外資系の優秀な営業マンとはいえ、八千万円もの資金が手元にあるわけがなかった。起業も二年先のことだと思っていたし、いきなり多額の支出をするような形でのビジネスプランは、思い描いているはずもなかった。

「会社を辞めるなんて、馬鹿じゃないのか。お願いだから辞めないでくれ」

上司や先輩も、優秀な池田を引き留めようとした。しかしもう、池田の頭にその選択肢はなかった。生命保険を解約し、持ちうる資産を売却。さらには、分割払いを前提に、返済猶予期間いっぱいまで、支払いを引き延ばしてもらった。そうしてようやく、この事業を自腹で買い取る目処が立った。

意を決したとはいえ、苦渋の決断でもあった。一方で、池田の心に、こういう時代が来るはずだという確信があったことも事実だ。

「退職と起業のタイミングが訪れたことは、むしろ有り難く、感謝に値すること。それを両手でしっかりと受け止めなければいけない」

厳しい船出ではあったが、だんだんと、この不本意な出来事を前向きに捉えるようになっていった。そして、天性の楽天的な性格は、こういう思考にまで至らしめた。

「いや、もしかするとこれは俺に与えられたチャンスではないか」

目の前にあるハプニングを、リスクと取らず、得難いチャンスと思う。池田らしさが発揮された瞬間だった。

池田がモービル石油に入社してから八年。一九七一年のことだった。

プライベートでは、妻が第二子を出産する直前。守るべきものが増えるが、この先の人生も、決して受け身で生きようとは思わなかった。池田の生き方を信じている妻も、黙って池田の選択を聞いていた。たまたまやってきた起業のタイミングに乗り、妻の理解に後押しされた。

不安がなかったと言えば嘘である。けれども一度決めたらやり通すことが信条でもある。

しかしこのときから、順風満帆だった池田に、幾多の困難が待ち受けることになろうとは、このときの池田は知るはずもなかった。

第3章

起業直後にオイルショック……

脳梗塞で倒れながらも一気に上場へ——感謝が運を引き寄せる

之《これ》を知る者は之を好む者に如《し》かず、之を好む者は之を楽しむ者に如かず

かくして八年でモービル石油の社員としての生活に終止符を打った。

その八年を振り返り、池田は言う。

「仕事も、会社も、会社で出会った上司や同僚も大好きでしたね。だから起業したあとも、ずっとモービルとの関係は続いていますよ」

池田の好きな論語の一節がある。

「之《これ》を知る者は之を好む者に如《し》かず、之を好む者は之を楽しむ者に如かず」

説明をするまでもないと思うが、知識よりも好きで物事をする方が勝り、さらにはそれを楽しんでいる人には敵わない、という意味である。

楽しむ人は、周囲をもその渦に巻き込む。いつまでもこの人と関わりたいと思わせる魅力がある。そしてこのような人に、もしも困難が立ちはだかっても、「この人のためなら」と、周囲は手を差し伸べたくなるものだ。

池田は常に、相手のために何ができるかを考え、実践してきた。自己犠牲の上にではなく、見返りを求めるでもなく、相手を想うこと自体を楽しんでいる。

孔子に言わせれば、楽しんでいる者のエネルギーは、ほかの何物にも勝るパワーがあるのだ。「働く」という言葉は、「はた（傍）をらく（楽）にする」という人がいる。それが、人が働く真の意味だとすれば、人を喜ばせることを自らの楽しみとしてきた池田の働き方は、まさにそれを体現したようなものだ。

一九七一年、当初の人生設計より二年早く独立を果たした。三十歳の春だった。

街には「アンノン族」やホットパンツ姿の女性が溢れ、黄色い「スマイルバッジ」が流行した。流行るものすべてが明るく、人々は前を向いていた。そして、日本の高度経済成長は、この先もずっと続くと、誰もが信じて疑わなかった。

流行に乗ったつもりではなかったが、奇しくもこの年「脱サラ」という言葉が流行した。

「起業しようとして、満を持して独立したわけじゃないんですよ。この宙に浮いたプロジェクト、作ってしまったシステムを誰がどう処理していくのか。苦しんで苦しんで……。ほかに引き取り手がないから、もう腹を据えるしかないってね」

棚から落ちてきた「ぼたもち」は、このときは確かに「引き取り手のない巨額のシステム」という厄介者の顔をしていた。しかし、この「厄介者」が本当の「ぼたもち」になったからこそ、今のアイネットがある。

降りかかってきた現実を、不幸の始まりと捉えるのか、ぜったいに成功してみせると奮起する材料にするのか。それは受け手の考え方ひとつで大きく変わる。

偶然が導き寄せた運命の流れのままに、気づけば起業へと辿り着いた池田。

横浜のマンションの一室で、たった一人で立ち上げたその会社を「株式会社フジコンサルト」と名付けた。
「霊峰富士のように、日本一の企業に」（フジ）
「顧客とともに、同志として役割を担う」（コンサルト）
このとき抱いた思いは、社名を「アイネット」とした今も変わらない。

苦しい時にこそ種をまき続ければ必ず芽は出る

池田は創業するにあたり、「業種特化・技術特化」「選択と集中」「必要は発明の母」というキーワードを意識していた。

コンピュータ産業の急激な発展により、創業当時すでにデータ処理会社も競合の激しい産業となっていた。

大手との差別化を図るため、自らがいた業界である石油業界のなかでも、さらにガソリンスタンドという特定の業種に絞ることにした。それにより、大手には真似のできない、痒いところに手が届くサービスを提供することができる。

ガソリンスタンドに通い続け、常に顧客満足を考え、顧客の不満を解消しようとしてきたからこそ、ここまでニッチな世界に踏み込む自信があった。

一社が一つのことに集中しているため、効率よくシステム開発もでき、技術も磨かれていく。

こうして、ほかのどこにもない独立系システム会社が生まれたのである。

「お客さんの声をしっかり聞き、どうしたら良いかを常に考え続けていることが大事なんですよ。そうすれば必ず答えが見えてくる。言ってみればね、お客さんに育てられたっていうことです」

しかし、独立してからのスタートがすべて順風満帆だったわけではない。

創生期メンバーのうち、池田のほかに、もう一人、営業活動をおこなっていた人物がいた。池田がＩＢＭとのプロジェクトを進めていくなかで、精通した現場の現状やさまざまな知恵を与えてくれた、新人研修時代の先輩である。

「池ちゃん、あんた大卒で優秀な営業マンだけどさ、このままモービルにいたって偉くなれないよ」

彼は、池田がモービル在職中から、こう言っていたのである。

「池ちゃんは個性的だから、ぜったいにいつか社内で衝突するよ。せっかくの才能がもったいない。後押ししてやるから、独立しなよ」

池田には、ほかの社員にはない「何か」があると、彼は見抜いていたのだろう。こんな会話を幾度となくしたのち、あの「ＩＢＭ売掛未収金」問題が起きた。

間近で見ていた彼が、池田の創業した会社に参画したのは、言うまでもない。

現場の先輩、営業の池田、と得意分野の棲み分けはできていた。しかし、経営戦略に対する意見の相違から、先輩は創業間もなくして池田のもとを去った。

ＩＢＭから引き取ったシステムはあるとはいえ、創業したての零細企業に高額なマシンは持てるはずもなく、ＩＢＭ横浜支店のマシンを借用し、伝票のパンチ入力などの処理業務をスタートさせた。

業界出身である池田の深い考察により生まれたシステムの利便性を、多くのガソリンスタンドが享受し、需要は瞬く間に広がるはずだった。自信もあった。

鼻息も荒く漕ぎ出した船だったが、そうは問屋が卸さなかった。

「今思えばね、起業の高揚感と、モータリゼーションの追い風に甘えた経営が、そううまくいくはずはないんですよ」

創業時、モービルの営業マンというバックボーンを武器に、かつての取引先を回れば何とかなる。そう思っていたのだ。

「池ちゃん、独立したんだってね、おめでとう」

かつての取引先はこう祝いの言葉を伝えたあと、少し厳しい顔になって続けた。

「いつでも池ちゃんの会社の客になってあげるよ。だけどさ、昔の取引先だけで仕事をしようなんて、ちょっと安易すぎるんじゃないのか」

はい……としか返答しようのない池田に、最後は発破を掛けてくれた。

「一軒でもいいから、ほかの系列で契約をしてきな。それでこそ、本物の経営者だ。そうしたら、いつでも客になってやるから」

真の愛とは厳しさが伴うものである。池田の安易な考えにカツを入れることで、きっと本物の経営者になってくれる。取引先はそう信じていたに違いない。

自身の甘さに気がついた池田は、より一層営業に力を入れるようになった。二、三ヶ月に一度の頻度で、モービル系列外のガソリンスタンドにも幅広くシステム説明会を開催。たった三社しか参加しない日もあった。

地道な種まきをしていくなかで、のちに長い付き合いとなるガソリンスタンド経営者と知り合い、仕事を受注。少しずつ、手ごたえを感じ始めていた。

しかし、かさむメンテナンス費用に対し、思いのほか売上が追い付いていかなかった。水面下で必死に水かきをする水鳥のごとく、死に物狂いで営業や説明会を重ねるも、無情にも、フジコンサルトは窮地に追い込まれていった。

赤字が復旧不可能なほどに膨らんだ、まさにそのとき、世界的な恐慌が起きた。フジコンサルト設立から二年後のことである。

一九七三年、第四次中東戦争に端を発する石油価格の上昇により、日本では前年より起きていたインフレーションがさらに加速した。翌一九七四年に消費者物価指数は二三％上昇。インフレ抑制のために公定歩合の引き上げがおこなわれ、結果としてこの年、戦後初めて経済成長率がマイナスを記録した。この一連の流れが、俗にいう「第一次オイルショック」である。

長く続いた戦後日本の高度経済成長は、こうして終焉を迎えることになった。

各家庭にも、その影響が出ていた。物資不足を過剰に心配する声が高まると、日本中の主婦たちはこぞってスーパーでトイレットペーパーを買い占めた。

日本が戦後初めて見た不景気だったが、図らずも、これが池田にとっては追い風となった。

石油価格が高騰していくたびに、システム上のガソリン単価を変更するため、フジコンサルトに依頼が来る。しかも、価格高騰によりガソリンスタンドは儲かるため、オーナーとしても、発注を躊躇《ためら》うこともなかった。

会社が苦しいときも、営業や説明会でまき続けた種が、ここにきてようやく芽が出たのだった。パニックに陥っている市井の人々を尻目に、業績は倍々ゲーム。一年で売上は五倍にも上った。池田にとって、オイルショックは千載一遇の絶妙なタイミングでやってきた奇跡の出来事となった。それは、ひび割れた地に突然降り注いだ、恵みの雨のようだった。

こうして時の運をしっかりつかんだ池田には、また次の高みへと上るチャンスが与えられたのである。

態度を変えないことが信念

池田の人柄の魅力の一つに、「素朴さ」がある。モノや人、縁を大切にし、決して驕ることはない。地に足の着いた堅実さ、謙虚さは、人が成功した時に本物かどうかが露呈されるものである。

一九七三年のオイルショックの追い風によって、池田の会社は起死回生ともいえる復活劇を演じることになった。売上が順調に伸び、それに合わせて顧客の数も増えていった。支店も開設し、営業地域も広がっていった。

池田の営業マンとしての故郷ともいえる、静岡。しかし、支店といっても、内情は社員の自宅のデスクと電話、そして車が「支店」だった。支店の事務員は社員の妻。売上の好調に踊らされず、慎重に事業展開を進めていった。

いずれＰＯＳの時代が来ると睨んでいた池田は、この頃からＰＯＳシステムの開発に乗り出していた。一九七三年にはすでにＰＯＳの自社開発に成功。そのノウハウが評価され、石油元売り会社などとの共同事業として、いくつかのＰＯＳも開発した。

そして一九七七年、ついにフジコンサルトは自社マシンを導入することになる。これまで他社のマシンを借用しつづけてきたフジコンサルトにとって、それは悲願ともいえる目標だった。

池田の先見の明はどこから来るのかと問えば、こう答えた。

「答えはお客さんの悩みの中にあるんですよ」

池田はどんなに顧客が増えようとも、「一対一」の関係性を崩さない、という信念を持っている。それは答えを引き出すための戦略ではない。池田が大切にしている、人生観のようなものだ。自分がこう生きるべきだという信念を貫いた先に見えたもの、それが結果的には、池田が事業を進めていく中で必要な「答え」だったというだけなのだろう。

一般的には、金持ちになれば横柄になるし、人気者になれば旧知の身近な人をないがしろにするという人が多い。仕事でいえば、担当する相手が多くなれば、一人に対する関係性が希薄になるのが自然の流れだ。

しかし、池田はその自然の流れには逆らってきた。

「どんなに儲かって、顧客が増えても、サービスの質は低下させないという信念がありました。これを失ったら、もう、うちの会社ではない、というくらいに」

それは、「これを失ったら、もう、俺の生き方ではない」という言葉に等しい。

モービル石油の下積み時代。現場を渡り歩き、顧客の声を聞き続けた日々があっての自社であるということを、池田は決して忘れない。

徹底した顧客目線を追求していくと、新しいサービスが生まれ技術が磨かれる。オイルショックを機に起死回生の復活を果たしたフジコンサルトは、ぶれることなく、ガソリンスタンドに特化したサービスの提供を続けてきた。

一九七六年に出光興産と共同石油のセンター指定を受け、安定的な顧客を獲得。その後のＰＯＳの開発の成功も後押しして、順調な経営状態であった。ＰＯＳの導入は全国のガソリンスタンドに広がり、社員たちは東奔西走の日々を送る。

「一九八〇年。元旦よりＰＯＳ操作説明と立ち合いで出社。メンバー三人で初日の出を拝む。この年は良い年でした」

アイネットの社内報『アイネットニュース一二号』（一九九二年）にて、当時、取締役営業一部部長だった富田陸一郎は、過去を述懐してこう記している。

会社の黎明期から順調に事業拡大していく現場を仕切ってきた社員の、忙しくとも、嬉々として働いている様子とその高揚感が伝わってくる。

たった一人で立ち上げた会社は、十年で五十人の社員を抱える企業となっていた。

責任を持つ者が、責任を取れるだけの確信を持って、機を逃さず決断をする

この十年、池田は創業社長として、エネルギッシュに仕事に邁進し、社員たちを率いてきた。

一九八一年、この十年の歩みを、取引先と、ともに戦ってきた社員への感謝と捉え、創立十周年記念パーティーを執りおこなうことにした。

すでに池田の第二の故郷となっていた横浜で、出席者総勢四五〇名を数える盛大なパーティーを開催。窓を見れば、美しく整備された山下公園と異国情緒あふれる横浜港を一望。この横浜の地に根を下ろし、今でも本社をみなとみらいに構える池田らしいチョイスだった。

翌一九八二年、創立十年の祝賀ムードも覚めやらぬ中、池田にとって初めての「大きなミス」が発覚した。

「社長を出せ！」

怒りに震えた声でこう電話を掛けてきたのは、静岡にある取引先のガソリンスタンドの経営者だ。

フジコンサルトは、このガソリンスタンドのＰＯＳデータを預かり、請求書や帳票を出力するという業務を請け負っていた。トラブルは、これら帳票類のデリバリー中に起きた。

フジコンサルトが依頼した運送会社が、この会社の帳票と、別の会社の帳票を間違えて届けた

という。デリバリーミスを犯したのは運送会社ではあるが、そこへ依頼したフジコンサルトの責任を問うと、相手は怒鳴り込んできた。

「こんなに一番大事な書類を間違えて配送するなんて、考えられない。石油の専門紙に告発文を寄稿してやる。そうなったら、あんたらの会社は倒産だ」

怒りにまかせてこう息巻く相手に、池田たちはただただ謝るしかなかった。取引先から言われたとおり、一年間の仕事は無報酬で引き受けたが、それだけでは相手の腹の虫がおさまらない。

「毎週月曜日の九時きっかりに、社長も一緒に謝りに来い。それでおまえらの誠意を見てやる」

言われるままに、池田、そして前出の富田と、指定されたとおり、毎週月曜日に謝罪に通った。そのお詫び参りの日々は、三ヶ月にも及んだ。

「池田さんたち、こんなに真剣に謝ってくれてるじゃない。もう許してあげたら」

三ヶ月が過ぎようとする頃、経営者の妹が、毎週横浜から静岡まで駆けつける池田たちの姿を見て、こう諭してくれたのだった。

翌年、池田は社運を賭けた大きな決断をした。

当時売上の四分の一を占めていた石油元売り会社との契約を維持するため、同社のホストコンピュータと同じメーカーに変更することを決めたのである。

その際、処理技術の変遷期であったことから、フジコンサルトも当時使用していた集中処理からオンライン分散処理へと変更することを、同時に決定。

これは、これまで培ってきた社内のインフラをすべて取り換えると等しい荒治療であったため、多くの技術者から反発があった。

「技術者はどうしても自分の持つ技術にこだわるあまり、保守的になってしまうもの。しかし確信があったから、トップダウンで決定しました」

池田の鶴の一声で、全社を挙げて大がかりな再整備がおこなわれた。売上十億円のときに、開発予算一億円、プロジェクト期間一年間と定めて着手。

フジコンサルトが株主となっているソフト開発会社、日本コンピュータ開発株式会社（以下、NCK）に外注し、二社で大がかりなプロジェクトが始まった。

しかし、初めての試みである。試験稼働の最中、相次ぐトラブルが発生。営業マンも技術者も総出で徹夜作業をおこなうなど、社内は不安と不満、焦燥感が充満し、混乱した状態に陥った。

技術者たちが開発を続ける中、営業マンは、伝票を手書きで起こす、配達をおこなうなどの人海戦術に駆り出された。それは池田も同様だった。社長も平社員もなく、すべての社員が寝る暇も惜しんで、この難局を乗り越えようとしていた。

このビッグプロジェクトは、時間的、費用的負担ともに、池田の想像をはるかに超えていた。最終的には開発費は二億円と倍増、期間も半年延びるなど、当初の計画から予算も期間もオーバーするという事態になった。

そんな中、周囲から「鉄人」と謳われていた池田の体にも、ついに異変が起きた。心労、肉体的な疲労がたまり、睡眠不足が続いていた池田は、すでに自宅で二回ほど軽い脳梗塞を起こしていたが、発見が早かったこともあり、このときはすぐに仕事に復帰した。

それからしばらくしてのことである。

「池田さん、左側の顔が黒ずんでいて血色も悪いし、何かおかしいよ。うちの社医に診てもらったら」

ともに会食をしていた池田の異変に気づいた取引先は、すぐに社医に連絡したが、あいにく社医は休みの日。そこで取引先が懇意にしている病院で、すぐに応急処置を施してもらった。そのおかげもあり、顔の左側に違和感を残しつつも、仕事ができるくらいにまで回復し、この日予定していたアポイントも消化した。

同行していた役員と、夕方になってようやく、自宅近くの病院を訪れた。タクシーで病院を訪れるも、左半身が思うように動かず、なかなかタクシーを降りられない。

役員と二人でもたついているときに、病院から、今まさに帰らんとしている医師が通りかかった。

「どうされましたか」

二人を覗き込むように話しかけた医師は、池田を見るなり、血相を変えて看護師を呼んだ。

「誰か早く、車いすを持ってきて！」

医師の緊迫した様子に、池田自身も驚いた。

「私は脳外科医です。あなた脳梗塞を起こしていますよ。すぐに入院して、手術しないと」

こうして、池田は即日緊急入院。手術をおこない、一ヶ月の入院生活を余儀なくされた。脳梗塞は、発見が遅ければ死に至る人も多い。からくも命を取り留めたとしても、体に麻痺が残るなどして、発症以前の状態に戻れないこともある。

退勤しようとしたこの脳外科医が、あと五分でもその道を通るのが早かったら、現在の元気な池田はなかったかもしれない。

ほんの一瞬の出会いが、池田の命を救い、もとの元気な姿を取り戻すことができたのだった。働き盛りの四十三歳。生死を分けた瞬間だった。

会社も、池田自身も、まさに満身創痍の変革期。

しかし、蓋を開けてみると、この思い切った変換により、フジコンサルトは時代の先端をゆく、石油業界における「分散処理」の先駆けとなった。

誰しも現状を変えることには抵抗がある。

順調であればなおさら、変える必要性を感じることもないだろう。このような状況の中、変化を恐れる社員たちを説得して、大きな改革に乗り出し成功に導くのは並大抵のことではない。

「経営はトップダウン」

「判断はスピーディーに」

池田がそう心がけているのは、流れゆく時代の波にただ乗るのではなく、先陣を切って乗ることが重要だと考えているからだ。社員全員の声を掬い上げる時間もなければ、手間も掛けられない。かりにできたとしても、それが、いつも正しいものである保証もない。

チャンスはリスクといつも隣り合わせである。責任を持つ者が、責任を取れるだけの確信を持って、機を逃さず決断をすることこそが、経営責任というものだ。

生死を分けるような状況に置かれながらも、自らの責任において池田はそれを有言実行で貫いた。このプロジェクトの過酷さゆえ、反発や不満を抱いた技術者の多くが、池田のもとを去っていった。社運を賭けたプロジェクトとはいえ、社員に負担を掛けたことは否めない。池田は去って行く社員を引き留める気持ちにも、責める気持ちにも、到底なれなかった。

しかし大きな荒波をともに乗り越え、池田のもとに残った技術者たちは、団結力が高まり、会社というただのハコではなく、血の通った仲間同士としての繋がりが、さらに強固なものになった。

これらの新システム導入と推進を進めていく中で、離れて行ったのは社員だけではなかった。時代の先端であったとはいえ、この新システムの利便性に対する理解を得られず、一部の取引先も失うことになった。

しかし一方で新たな顧客も増え、日を追うごとにその差は広がっていった。去った顧客をはるかに超える数の新規顧客との契約成立が実現していたのだ。

一般的に言っても、自社の商品を特徴あるものにしようとすれば、一時は客が離れることもある。しかしその価値を一度高く評価され、社会に認知されれば、逆に唯一無二の存在として多くの人の目に触れることになる。

池田の会社も、幾度かの大きな痛みを伴いながらも、こうしてまた一つ、独特の存在感を放つ組織としての特徴を築き上げたのだった。

そこへまた、時代の波が池田の味方についた。

一九八九年、昭和天皇崩御に伴い、年号は平成に変わった。この年、日本にも消費税が導入される。巷では家計に大きな打撃だと大騒ぎになった。

消費税導入により、混乱した消費者や他の業界を尻目に、システム関係の企業は軒並み好況となった。フジコンサルトも例外ではなく、消費税に対応したシステムへの変換や、それを機に同社と新規契約をする会社も増えていった。

この消費税導入前後の「バブル」を、神風が吹いた、と社員は述懐している。

一九八九（平成元）年のガソリンスタンド新規獲得件数は、フジコンサルト史上空前の数になったと、社内報『アイネットニュース』は伝えている。

論語とそろばん

一九九〇年、起業してからちょうど二十年目が経とうとしていた。

「池ちゃん、相談したいことがあるんだ」

池田のもとに、一本の電話が入った。電話の主はＮＣＫの社長、黒川惣一。池田の二十年来の友人でもあった。

大手のソフト会社に営業職として勤めていた黒川は、自慢の営業力を活かして、独立する夢があった。そこへ、旧知の友だった池田を頼り、フジコンサルトに出資してもらったのち、学生時代からの山岳仲間である河野眞とともに、晴れてNCKを創業。電話から、五年ほど前の出来事だ。

しかし、この数年で、ソフトウエア産業全体の状況は急激に悪化。開発を得意とするNCKの業績も芳しくなかった。

池田はもともと「労働集約型ではなく、装置産業型（ストックビジネス）を目指す」という持論を持っていた。当時の情報処理サービス業界は、大手を除くほとんどが、技術者であるSEを派遣することで対価を得る労働集約型のビジネスモデルが主流だった。

大手にSEを派遣すれば、それなりのまとまった売上を得ることができたため、同業他社は迷うことなく、「SE派遣ビジネス」を中心に業務をおこなっていた。

しかし池田は、自社にノウハウを蓄積できるストックビジネスこそが、本来の情報サービス産業の姿だと信じていた。創業時から手掛けているガソリンスタンド向け情報処理サービスは、まさにそれに当たる。

「池ちゃん、SE派遣の方が儲かるのに、なんで一円二円の単価の仕事を取ることにこだわるんだよ」

本来不況に強いとされるストックビジネスだが、好景気が続いていた同業他社からは、その優位性は、まだ理解されていなかった。しかしこのこだわりこそが、現在のアイネットを築いた基礎になったのである。

一方で、情報産業にもかかわらず、ソフト開発力がちょっと弱く、情報産業の基本である技術力を強化するために技術者を増やそうと思っていた矢先だった。

このタイミングで、友人でもある黒川からSOSが出されたのだった。

もともと、資本関係もある両社の関係は良好で、フジコンサルトは開発をNCKに外注するなどして、取引もおこなっていた。

「お互いの強みが違うから、いつか一緒になっても双方にとってプラスになる」

池田と黒川の間では、かねてよりこのような会話がなされていたのだった。

同じIT業界でありながら、営業に強いフジコンサルトと、開発専門のNCKが合併することは、守備範囲が広がり、IT業界の中でワンストップサービスを提供できるようにもなる。社内でも互いの相乗効果を期待する声の方が大きく、合併の話は順調に進んだ。

こうして一九九一年、フジコンサルトはNCKを吸収合併。このとき社名を株式会社アイネットと変更した。

アイネットの「i」はインテグレーテッドの「i」。二社の強みを統合し、新しいネットワーキングを創造する企業へ。そんな思いが込められている。

友人であるNCK社長の黒川には、アイネットの副社長に就任してもらった。

経営者同士の友好的な関係の中で生まれ、かつ互いの専門性が相乗効果として活かされる可能性が高い。とはいえ、良いことばかりではなかった。

ときは一九九一年、おりしも日本がバブル崩壊に見舞われた年である。

世界では、多国籍軍がイラク軍を攻撃し、ブッシュ大統領により湾岸戦争の勝利声明が出された。前年には、長い間一国を隔てていたベルリンの壁崩壊（一九八九年）からの流れを受けて、ドイツが再統一。世界の民主化への流れは止まらず、ついにソビエト連邦が消滅し、十五の独立国家からなるロシア連邦となった。

世界では、歴史に刻むような大変革がおこなわれ、混沌としていた。

ところが、永らく平和を謳歌していた日本では、それは他人事でしかなかった。

「バブルの象徴」とされる伝説のディスコ「ジュリアナ東京」がこの年に開業するなど、なおもバブルが続いているかのような余韻に浸り、日本の好景気はこれからもずっと続くかのような陶酔の中にいた。

経済を動かしているはずの大人たちは「お立ち台」で大きな羽の付いた扇子を持って踊る「ワンレンボディコン」美女に釘付けになった。

とっくに経済はガラガラと音を立てて崩れ落ちているというのに、長らくバブルに浮かれていた日本人は、恍惚とした頭で、その音に気づかなかったのである。

しかし、国民がどう感じていようと、世界情勢は混乱し、日本経済は確実に、しかも急速にシュリンクしていた。

アイネットも例外なく経済不況のあおりを受けていた。ソフトウエアが活況を呈していた時代を経て、当時はすでにソフトハウス不況と呼ばれる時代に差し掛かっていたからだ。相乗効果を期待してＮＣＫと合併したが、思ったように仕事は入らなかった。しかも、業績不振のＮＣＫ側は社員二五〇名。フジコンサルト側の社員は一〇〇名。イソップ物語の『ライオンとねずみ』よろしく、小さな体のフジ側が、大きな図体を持つNCKを助けるような形での合併だった。

池田は、NCKの技術者全員と面接をおこなった。フジコンサルトの社員と、NCKの社員が同じ視点軸を持って仕事ができなければ、いずれ社内の瓦解《がかい》が始まってしまう。それを防ぐには、自らが誠意と数字を以て説得する必要があると考えた。まさに、「論語とそろばん」を持つ経営者と言えよう。

苦境のときにも心を一つにした社員たちが集まってこそ、のちに池田が提唱することになる「エクセレントカンパニー」への道が拓ける。

その信念が、頻度にして週に四回、足かけ二年かけて、すべての技術者と向き合うという大仕事を、池田に成し遂げさせた。ともに経済の波を乗り越える同志であること、互いに尊重し合い、学び、成長し合える仲間であること。直接対話できたことで、池田の誠意は十分に伝わったはずだ。

業績回復のため、利益を出していない部門をスリム化しなければならないことも必至だった。池田はNCK側の地方支店すべてを閉鎖することに決めた。

多くの技術者が別の活路を求め、フジコンサルトのもとを去って行った。

「社員が辞めていくのを見るのが一番辛い」

連結で社員数一七〇〇名を抱える一部上場企業となった今でも、池田はそう語っているが、二年かけて話し合ってきた社員であればなおさらその思いは募っただろう。

合併時に一七〇〇人いたNCK側の技術者は、八〇人にまで減った。しかし残った社員たちは、池田と対話をし、共感したうえで残る決意をした者たちである。精鋭が集まったアイネットは、合併して底をついたのち、一年という短期間で経常利益を底から倍の数字をたたき出すほどまでに回復。

この後、合併直後の苦しさが嘘のように、あれよ、あれよと業績は伸び、相乗効果が目に見える形で表れるようになった。

心を繋ぐことの大切さ

同じIT業界の中の、得意分野の異なるNCKと合併したことで、アイネットの守備範囲は大きく広がりを見せた。

この年だけで福岡、仙台、札幌と支店を開設、北から南まで、アイネットは日本中に支店を持つ企業へと成長していった。

さらに福利厚生施設として保養所を作るなど、企業としての「器」づくりにも、力を入れた。最初の保養所は、「合併記念」として作られた。池田と黒川の共通の趣味は登山。山を見ては夢や山の魅力を語り合ってきた二人の会社に相応しい保養所にしようと、山小屋風の建物にした。それは、二人の友情の証でもある。トップ二人が手を携えているのを社員に見せることで、社員同士の結束も高めたいと、池田も黒川も、切に願っていた。なぜなら、会社のもっとも大切な資産は社員であるという思いが、常に二人の心にあったからだ。

池田は合併後、会社を設立して初めて社内報『アイネットニュース』を創刊。異なる歴史や創業者を持つ二つの会社が一つになったことで、これまでの歴史や、これからの展望などを共有化し、社員同士の意思疎通を図ることは最重要課題の一つとなった。社員の心を一つにするために心を砕くという作業は、一見すると、売上に直結する業務ではないのは百も承知である。地道で時間の掛かる仕事でもある。しかし池田は、これに手を抜くことなど考えられなかった。

企業とは、無機質な「ハコ」ではなく、血の通った人間が創り上げ、それに賛同する人間が集まってできる有機的な組織でなければならない。なぜなら、企業とは、人や社会に役立つことが、一つの存在意義であるからだ。

会社が大きくなるにつれ、創業者の理念からかけ離れ、膨張したのちに衰退する、という企業を数えれば、枚挙にいとまはない。

だからこそ、合併から半年という早さで、社内報を創刊することに池田はこだわった。社員同士の横の繋がりを深めるために、堅苦しい経営サイド主体の発行物ではなく、社員が楽しく編集し発行するという体裁にした。

創業から刊行し続けている『アイネットニュース』をまとめたものがある。

池田からの叱咤激励の言葉、自社システムの導入紹介など、社内報に欠かせないコンテンツもあるが、パラパラとめくると、各部署の社員が持ち回りで、数行の文章を寄せているコーナーがある。カジュアルな部活のノリで、どの部署もユーモアや自虐ネタに知恵を絞っていて、実に面白い。

一九九七年頃の社内報。ある部署では毎回恒例の「今月のW課長」シリーズが掲載されている。

——先月、飲み会がありました。前半は今までの反省からか、飲みが少なくみんなを心配させましたが、後半はいつも通りのW課長でした。その夜も、新宿の街へ消えて行きました。（W課長の記憶も消えているそうです）——

短い文章で笑いを取れる社員は、きっと仕事のセンスも良いのだろう。個人的には、W課長に会ってみたくなってしまった。

さておき、数年分の社内報を見ただけで、社内の風通しの良さ、愛社精神が垣間見え、ほのぼのとした空気感が伝わってくる。

互いを知り、互いに思いを馳せ、笑顔を見せ合い、切磋琢磨を繰り返し、助け合う。池田が時間を掛けて築き上げてきた会社の一面が見えてくる。それは創業者池田の温かな人柄そのままとも言えよう。

会社を経営するということは、利益を生むことだけではなく、そこにいる社員が生き甲斐と楽しみをもって仕事をし、社員の家族をも幸せにしていく組織を育て続けることである。その輪が広がることで、社会全体をも幸せにすることができるはずだ。自分だけでなく、こうしたことに目を向けられる経営者が、この日本に一人でも多く増えてほしい——。

創業者会長となり、経営のバトンタッチを進める今、痛切にそう願っている。

NCKと合併した成果は、早くも二年後には現れ始めた。これまでガソリンスタンドというフィールドに絞り、営業をしていたが、クレジットカードや消費者金融などの分野を得意とする

ＮＣＫの業務が加わったことで、ガソリンスタンド以外の小売店への、カード決済サービスを展開することになった。

一九九三年、初めての商店街カードシステムは、「トータル・カードシステム」と名付けられ、池田の本拠地・横浜にある「元町商店街」で稼働した。

この年、天皇と皇后がご成婚。頭にティアラを輝かせ、美しい笑顔を湛えながらオープンカーで手を振る雅子皇太子妃（当時）の姿を記憶に残している人も多いだろう。

元外交官、マルチリンガルというキャリア女性が皇太子妃となられるという、新しい時代の幕開けとなったこの年、アイネットにとっても、大きな飛躍を暗示させる事業の成功となったのだった。

成功するには、能力のほかに機会が必要

「会社は社会の公器であるべき」

池田は創業時からこう考えていた。会社は社員を幸せにしなければならないし、社会に貢献できなければ存在意義がない。その延長上に、「いつかは上場」という思いは、かねてより持っていた。

そんな流れの中で、ＮＣＫと合併し、事業領域を拡大し、一時の苦労はあったにせよ、業績も順調に積み上げてきた。

元モービル出身という池田のキャリアは、情報サービス産業の中でも「ガソリンスタンドに特

化」という、唯一無二の武器となった。大手が幅を利かせる業界の中で、独立系のアイネットは異彩を放ち始めていたのだった。

その矢先である。

「独立系のアイネットに金なんかあるわけない」

アイネットの業績が上がるにつれ、業界内ではこんな声が聞こえ始めた。業績の好調は、まぎれもなく池田や社員たちの不断の努力や提案力に依るものだ。しかし他者の成功を嫉み、あることないことを吹聴する人間というのは、古今東西存在するものである。

想像力たくましく、彼らは口々にこう言った。

「池田は外資の出身。日本のデータを取って、外資に転売して仕事をもらっているんじゃないか」

あらぬ噂を立てられては事業に差支えがある。温厚で前向きな性格の池田だが、放っておくわけにはいかなかった。

アイネットが常に時代を先取り、ビジネスをしていることは、本来賞賛されて然るべきだが、前例主義の日本人となると、これが諸刃の剣となる。前例のないことに対する理解や信頼を得るのに、これまでもさんざん苦労していた。

初めて会った相手先には、毎回アイネットの一から十までをすべて説明しなければならなかったのである。公正に仕事をしていることを世に知らしめるため、そして、社会からの「わかりやすい信頼」を得るために、アイネットの株式公開は、何としてでもしなければならない重要な課題だった。

成功するには、能力のほかに機会が必要である

ゲーテの言葉であるが、池田にこの時、「機会」がやってきた。

取引銀行である横浜銀行の子会社、横浜キャピタルが作成した「横浜で将来公開できる会社」のリストに入っていたアイネットの名が、投資会社ジャフコの目に留まり、株式公開の話が持ち込まれた。

神は努力しているものには、ちゃんとそのチャンスを与えてくれる。もちろん、それを活かすか殺すかは、本人次第でもある。

「機縁」という言葉がある。「機会」＝チャンスと、「ご縁」。さらに受け取り手の心と能力のステージによって、いかようにも結果が異なってくる。

小才は縁に出会って縁に気づかず
中才は縁に気づいて縁を活かさず
大才は袖振り合って縁をも活かす

柳生十兵衛で有名な柳生家の家訓として知られた言葉である。

もっとも有り難いのは、自分のステージに合った「縁」と「チャンス」をいただくことである。せっかくのご縁やチャンスを、自分の能力不足で活かしきれないということは多いが、柳生家に言わせれば、それは「中才」ということになる。

池田は創業当時から株式公開を念頭に置いて経営を続けていたが、企業規模の拡大と、周囲からの要らぬ詮索や誤解を避けるためにも、そろそろ実行したいと考えていた。

まさにこのとき、アイネットの名が、投資家の目に留まった。「これ以上のタイミングはない」というほどの絶妙なタイミングだった。

株式公開までの準備は急ピッチで進められた。

一九九五年。合併から五年を待たずに、ＪＡＳＤＡＱへ店頭公開を果たす。

ＩＴ業界にとっては、「Ｗｉｎｄｏｗｓ95」が発売された記念すべき年でもあった。インターネット接続が容易になり、「パソコン＝インターネット」という図式ができあがった。一般消費者にもパソコンやインターネットが身近になったことは、アイネットにとっても朗報だった。

これから大きく動き出していくだろうオンライン社会で、早くから事業をおこなっていたアイネットは、経済界からも期待を込めた目で見られるようになった。新規参入の企業と比べ、信頼度も経験値も高い。

それを裏付けるかのように、この翌年、通産省（当時）より「システムインテグレーター※注」の認定を取得。（※注「システムインテグレーター」とは、情報システムの構築において、ＩＴ戦略の立案

から設計、開発、運用・保守・管理までを一括請負する情報通信企業を指す。現在は新規認定を廃止）

同年、池田自身も、神奈川県情報サービス産業健康保険組合理事長に就任。企業としても、個人としても、名実ともに、独立系情報通信企業のパイオニアとして認知されるようになったのである。

アイネット株は、公募価格よりも三〇％上回る価格がついた。さらに、入札倍率が六・三倍という高倍率という大きなおまけつきだ。

バブルがはじけ、長引く不況、株式市場の低迷、ソフトハウス不況という、活況とはほど遠い日本経済下での、この実績。

さらに、日経発表による一九九五年十月度の店頭市場における出来高ランキングでは、六百社中十位という上位につけた。

しかし、ただのラッキーでこのような好調が天から降ってきたわけではない。

会社のＩＲのため、株式公開から四ヶ月で四十回以上も投資顧問会社や証券会社を回ったり、説明会を開いたりした。

そのすべてに池田自身が出向き、池田自身の言葉で説明がおこなわれた。株式公開後は、トップの人となりが重要視されると聞いたからだ。

心身ともにタフであることが幸いしたが、池田の下の歯はすり減り、その半分は差し歯に変わった。社員たちの日々の努力はもちろんのことだが、池田の精力的なＩＲ活動の甲斐もあっての評価であることは間違いない。しかしそのような苦労は社員には露とも見せない。

社会からの高評価は、こんな池田に対する神からのプレゼントなのかもしれない。

友人を救うためにリスクを抱える

池田が大学を卒業した頃、エネルギーの主役は石炭から石油へと取って代わられていた。あれから三十年。またもやエネルギーの主役が交代する時代がやってきた。

一九七三年の第一次石油危機は、世界のエネルギー政策の転換期となり、「脱石油」「脱中東」へと舵を切ることになった。その当時、電源構成において、石油が占める割合は、七三％にも及んでいた。日本エネルギー経済研究所石油情報センターの橋爪吉博氏の論文によれば、「発電所で使われる燃料は、石油から石炭、天然ガス、原子力に転換され、電源構成に占める石油の割合は七〇年代終わりには五〇％、八〇年代半ばに三〇％、二〇〇〇年代半ばには一〇％を切る水準まで低下した」という。

アイネットは、石油業界におけるシステム開発などを手掛ける一方で、NCKとの合併により、より広範で多様な分野への進出をすることが可能になっていた。

とりわけNCKが得意とした消費者金融業界に向けた事業は、当時は意図しなかったにせよ、キャッシュレスが本格的になった今となっては、大きな布石を打ったことになる。

しかし池田にとって、この合併は、友を助けることも重要な目的の一つだった。

「池田さんが夫の会社と一緒になっていなかったら、夫の会社は路頭に迷っていました」

アイネットの株主でもある元ＮＣＫ社長の妻は、折に触れてこう感謝を込める。

前述したとおり、元ＮＣＫ社長の黒川は、アイネットの副社長に就任し、池田とともに会社を支える両輪として、重要な役割を果たしていた。しかしある日、黒川はかねてより患っていた病に倒れた。

そして合併からわずか三年、突如、帰らぬ人となった。一九九四年のことだ。

池田が黒川を見舞ったとき、黒川は珍しく弱音を吐いた。

「なあ、池ちゃん。ここ二、三日、新聞を読む気もしないんだ。なんだか面倒くさくなっちゃって」

二回もの胃がんの手術から立ち直り、仕事への復帰を目指して体を鍛えていた屈強な山男に、おおよそ相応しくない言葉だった。

「何言ってんだよ。君は社会と繋がっていなくちゃいけないんだ。新聞を読んで、テレビも見て、復帰の準備をしておかなくちゃ」

池田の頭には、友とまた会社を経営している姿しか浮かんでいなかった。

電話が鳴ったのは、その翌日だった。敗血症により、友と語らったのち、黒川はあっという間に、逝ってしまったのである。池田は、当時のことは「頭が真っ白になった」ことしか覚えていない。それだけ、予期せぬ出来事だったのだ。

「もしかしたら、余命のことを漠然と考えての身売りだったのかもしれない」

あのときは感じなかったが、今、池田はこう振り返る。

「友人を救うためにリスクを抱えるなんて甘い」

当時、こんな声も聞こえなくはなかった。しかし目の前に困っている人を見れば、手を差し伸べるのが池田である。思えば二十年前も、そのようにして同志のプロジェクトを引き受け、創業したではないか。

どうやら人間はそう簡単に変われるものでもないようだ。

「君の分まで頑張るよ」

黒川への弔辞で、池田は亡き友にこう語りかけた。

葬儀には、黒川のかつての同僚である専務の河野や、多くの部下たちも集まった。彼らの心には、亡き友への最後の手紙を、目を真っ赤にしながら語りかけるように読む、池田の姿が焼き付いている。

現役副社長の突然の死に、多くの人がすすり泣いた。池田はもちろん、会社全体が悲しい空気で覆われた。しかし、池田は前を向かなくてはならない。

池田が病床の黒川を最後に見舞ったとき、二人で交わした約束があるからだ。

「一部上場を果たして、いつまでも生き残れる会社にしよう」

それから十二年後、男と男の約束は見事、果たされることになる。

仁を備えよ

　昭和から平成にかけて、日本経済は目覚ましい成長と、それに伴う反動を経験した。世の中の流れは短期間で移り変わり、そのたびに、経済を動かす主役も変わっていく。

　しかし池田は、次なる主役となる産業や技術を味方につけ、この大きな流れをうまく掴んでいったのだった。

「お客さんが、次の流れの方へ導いてくれた」と言って憚《はばか》らない。

　この頃になると、モータリゼーションの波の勢いは息をひそめつつあった。一方で、広がった分野はクレジット、金融関係に留まらなかった。株式公開の翌年に、第三セクターによる地域情報サービスを開始したことを皮切りに、すでに二十年前に、時代を先駆けたインターネットビジネスを展開していった。

　一九九五年に株式公開を果たしたのち、翌年にスイスフラン建転換社債を発行。約二十二億円を調達した。驚くのは転換達成度の早さだ。二月に調印、十月には八五％が株式に転換された。海外投資家からの期待と信頼の高さがうかがえる。

「一つの業務に特化し、これだけの業績を出すのは素晴らしい。これを横に展開したら、アイネットはさらに素晴らしい会社になる」

スイス人の投資家も、思わず舌を巻いた。池田が創業当時より繰り返し提唱していた「特化は汎用に繋がる」という信念とも戦略とも言えるこのセオリーが、いかに正しいかということを、世界が認めたのだった。

こうした中、翌年の一九九七年、東証二部へ上場。アイネットの業績と将来性は、国内外問わず、もはや多くの投資家の知ることとなった。

大学生だった池田が文明開化の薫りに思いを馳せた横浜駅には、アイネットの企業広告が躍った。あのとき、横浜の空を仰ぎ見た田舎育ちの青年が、自社の看板をこの地で目にしようとは、誰が想像できただろうか。

同年、独立系ＳＩｅｒ（システムインテグレーター）業界の中で、いち早くデータセンターを着工し、翌一九九八年に稼働。顧客の情報を預かり、出し入れ可能な状態にするいわゆる「クラウド」ビジネスの先駆けである。

バブル崩壊の余波が一般市民にもじわじわと押し寄せ、戦後初の就職氷河期、銀行の貸し渋りなど、景気の波は下がる一方。どの業界の、どの企業も、新規ビジネスには消極的だった。そのような時期でさえ、池田の決断はゆるがなかった。

創業当時からストックビジネスにこだわり続け、取引先から集まるデータは、当時借りていたデータセンターでは手狭になるほどの量になっていた。さらにスイスでの転換社債による資金調達も成功し、機が熟したと感じていたのだ。

アイネットが土地を探しているという情報を知った横浜市経済局は、市の所有地への誘致のため、熱いラブコールを送った。当地での民間企業初の進出というニュースは、新聞各紙でも報道された。

一九九七年八月一日付の日刊燃料油脂新聞では「活力ある横浜経済の実現に貢献したい」とする池田の言葉も紹介されている。

生みの親が故郷足利だとすれば、社会人としての基盤、経営者としての道のりを伴走してきた、育ての親ともいえるのが、ここ横浜である。その土地に感謝と愛情を忘れないのが、池田流だ。

一九九七年十月発行の『アイネットニュース』では、「現状に甘えない意欲」とともに、より語気を強めて「仁を備えよ」と投げかけている。

「仁」は池田も愛読している論語に頻出される言葉だが、「人を思いやる気持ち」や「人を動かす心」を意味する。足利学校で学ぶ「儒教」の五常の中でも、筆頭に出るのが「仁」である。池田はまさに、「仁」とともに生きることを選び、実行し、社員たちにも、その大切さを説き続けている。

優秀な人間とは何か。文豪ゲーテはこう著している。

有能な人で忘恩だったというのを、わたしはまだ見たことがない

古今東西の偉人たちが求め続けてきた大切な志を、池田は今も抱き続けている。

人は鏡

東証二部上場を果たしたのち、さらなる高みを目指す。池田は一九九九年九月の『三和総研ビジネス情報』でのインタビューで、「東証一部上場と、ビッグカンパニーではなく、エクセレントカンパニーを目指す」と答えている。

池田独特の言い回しである「エクセレントカンパニー」という言葉は、NCKと合併した翌年に、すでに社内報に登場している。会社の発展とともに増える社員との夢の共有のため、わかりやすい言葉が必要だと考え、産み出された言葉だ。

そして、エクセレントカンパニーへの道は、同じく同社の基本的な考えである「Up Stage Up Player」という理念を掲げて継続中である。

これも池田の造語であるが、会社が大きくなり、ステージが上がるだけでなく、社員一人ひとりの生活や成長の向上が伴うことが大切である、という、会社の思想を表したものだ。創業間もなく池田からのメッセージとして発信された。

興味深いエピソードがある。

二〇一九年の株主総会での一幕だ。

「どうしても会長に会いたい」という七十代の女性が現れた。

池田の前に立っていたのは、白髪の女性だった。池田に見覚えはない。

「池田さん、覚えていますか」

「面影はありますけどね……。すみません。これまでの人生、激しく動いてきたので昔のことはあんまり覚えていないんですよ……」

歯切れ悪く、申し訳なさそうに池田は答えた。女性は続ける。

「私はうれしいんです。池田さんが昔に言ったとおりの会社にしてくれたことに」

創業当時に活躍したパンチ部門。その女性はパンチ部隊を率いるスーパーバイザーとして勤務していたという。池田の脳裏に四十五年前の情景が浮かんだ。

「私が勤めていた頃、池田さんが社内の会議で『こういう会社にしてみせる』と言っていたとおりの会社になっていました。今日、株主総会で池田さんの話を聞いて、本当にそうなっていることを見届けることができました」

それは、「上場して大きくして、社員にとって働きがいのある会社」という意味だった。

「それを伝えるために、今日、初めて株主総会に来たんです」

フジコンサルトは三年ほどパンチ部隊を持っていたが、本業に注力するため、パンチ入力を外注する方針に転換。業界では引っ張りだこの職種であったため、キーパンチャーの社員を全員、他社へ転属させることができた。

件の女性は、古巣であるアイネットが一九九五年に株式公開したと知るや否や、真っ先に株を買い求めた。

勤勉な彼女はその後も他社で働き続け、つい先日定年退職して時間ができたという。株を所有して二十五年も経って初めて、晴れて株主総会に参加した。

「昔勤めた会社がこんなに立派になって……。池田さん、ありがとうございます。あのときのことをお伝えすることができて、うれしいです」

彼女は最後にこう言って頭を下げ、足早に会場をあとにした。

人は鏡、と言う。

退職して長い月日が経とうとも、古巣を愛し続けるその女性は、鏡を介して映した池田の姿のようでもある。池田もまた、古巣のモービル石油を愛し、上司や部下、同僚から愛され、未だ良い関係を築き続けている。そんな池田だからこそ、件の女性のような社員が育ったのだろう。

身近な人々を観察すれば、自分がどのような人間かわかる。池田が今もなお、笑顔を絶やさぬ人々に囲まれているのは、こうした理由がある。

「エクセレントカンパニー」を実現するためには、会社自身も成長していかなければならない。池田が東証一部上場にこだわったのは、利益を社員に還元し、社員も会社も成長を続けるために、盤石な基盤が必要だと考えているからだった。

一九九九年、二回目となるスイスフラン建転換社債を発行し、二十三億円を調達。翌年の二〇〇〇年には、その資金をもとに、第一データセンターの隣地を取得。さらなる事業拡大と内需の充実のために、研究開発を中心におこなう拠点として、II期棟建設の準備を開始した。

夢である「東証一部上場」まで、いよいよあと一歩のところまで来ていた。

第4章

会社が乗っ取られる!?

創業以来、最大のピンチとリーマンショックをチャンスに変えて躍進

人間の「欲」の恐ろしさ

情報サービス業界や神奈川県経済界では、アイネットと池田の知名度は日々上がる一方で、東証二部上場を果たしてからは、池田はさまざまな媒体で「東証一部上場」という目標を公言するようになった。

二〇〇〇年、ソフト業界で専務をしていた知人Sから、「おいしい話」が持ち込まれた。自身が役員を務める会社をM&Aで合併しないか、という話だった。

Sは自身の会社が一九七六年創業のソフト会社と合併すると、役員の座に就いていた。その後、この会社は一九九一年に株式公開。事業拡大のためにM&Aを進め、株式会社ソフトサイエンスほか、いくつかの同業他社を傘下に収めていた。

池田が合併を持ちかけられた会社は、Sが役員を務めていた会社の子会社であるソフトサイエンス社。Sは親会社からの派遣で同社の専務を務めていた。

同社は一九九六年から九七年にかけて、同業他社五社と合併し、一九九九年、念願の株式公開を果たしたばかりだった。制御・組込み系システム、宇宙分野、ソフトの卸売り、システム開発、とそれぞれに異なる得意分野を持っていた。

Sはソフトサイエンス社を親会社から切り離し、アイネットと合併した方が、両社だけでなく、業界全体にとっても良いはずだと力説した。

業界の集まりで池田の顔を見つけるやいなや、Sはこう切り出した。

「池ちゃん、ソフト業界も世界を見てみなよ。東京ではみんな大きく飛躍していて、世界に伍しようとしているけど、神奈川はだめだね。みんな小さくまとまっちゃって、世界で戦おうなんていう気概のある会社がないと思わないか」

池田もそこには共感を持って聞いていた。Sは続ける。

「ソフトサイエンスと池ちゃんの会社が一緒になったら、それができると思うんだよ。それも、池ちゃんが先頭に立ってさ。そのためには、親会社から切り離すべきなんだ。だって、この神奈川を見回して、池ちゃんほどの経営者はいないよ。池ちゃんだったら、世界と伍して戦えるSIer（システムインテグレーター）を築けるよ」

当初、池田はSの話を自分事として受け止めることができなかった。このような話が持ち込まれなくても、自力で東証一部上場をすることを考えていたからだ。

一九九九年四月発行の社内報『アイネットニュース』にて、新入社員に向けたメッセージの中でこう述べている。

「皆さんが三、四年生になる頃には、アウトソーシング事業会社としての確固たる地位を築いていると同時に社会的には東証一部上場企業になっているでしょう」

堂々たる筆致に、池田の自信がうかがえるではないか。

一九九一年におこなわれたNCKとの合併は、友好的合併ではあったが、それでも相手側の不採算部門のリストラに、労力はもちろん、精神的にも大きな疲労感を残した。その後の企業努力により、飛躍への布石となったが、池田の頭には、やはりこのときの徒労感は忘れようもないものであった。

だからこそ、Ｓの話をさほど本気には捉えず、その場をしのいでいたのだった。

しかし、それから連日のように、Ｓからの電話がかかってきた。

「この合併は神奈川のソフト会社全体の夢でもあるんだ。実績のある池ちゃんにしかできないことなんだよ」

業界の会合で会うと、また同じように繰り返す。

「池ちゃんの力で、世界に冠たるＳＩｅｒをこの神奈川から生み出してくれよ」

あるときは、Ｓは親会社の社長と二人がかりで池田の業績と可能性について褒めちぎり、そして説得した。

「どこかの馬の骨かわからないような会社じゃなくて、うちみたいに株式公開している企業は、社会のお墨付きなんだから安心じゃないか」

まったく本気にしていなかったはずだったが、毎日呪文のように同じことを聞かされているうちに、この合併話を前向きに考えられるようになっていた。

こうしたやりとりの末、ソフトサイエンスとアイネットは合併した。

合併の条件はアイネットを存続会社とする吸収合併方式で、ソフトサイエンスは解散。ただし、役員構成は互いの企業から半数ずつ選出した。

ソフトサイエンスは株式公開していたとはいえ、株式の時価総額はアイネットと比較して低く、この割り当てについても、当初両社に乖離《かいり》があったが、最終的に、池田はおおむねソフトサイエンスの言い値を採用する。

ただでさえナーバスになりがちな、会社が消滅してしまう形の吸収合併において、ソフトサイエンス側の株主にも元気を与えることができるのであれば、譲歩もやむなし、という池田らしい判断だった。

「もう決まったみたいだから、仕方がないことだけどね」

いささか残念そうな顔つきでこう話しかけてきたのは、アイネットのメインバンクの当時の部長だった。彼は、この合併の話が進む中、池田に幾度か助言をしていたのだった。

「自分の担当の話ではないけど、個人的にはこの話には乗らない方がいいと思うよ。合併には賛成しないいな」

長年アイネットと池田を見てきた彼にとっては、一言でも、こう言っておきたかったのだ。

しかし、人間の欲とは恐ろしい。

この頃、アイネットの業績は絶好調とは言えない状況だった。ＮＣＫとの合併のときは、相手を助ける余裕のある業績だったが、このときは違った。

落ち込んでいた業績が回復し、徐々に上り調子に戻って来ていたとはいえ、まだその「好調」は本物とは言えなかったのだ。

しかも、アイネットの主要取引先であるガソリンスタンドの数は、すでに減少傾向にあった。

もっとも活況を呈していた当時六万軒あったというガソリンスタンドは、いずれ半分になると言われていた。

自社の業績に対する不安や焦りと、「株式上場企業と合併して事業を拡大すれば、業績もさらに回復し、大きな未来が描けるかもしれない――」。

そんな池田の中の「欲」が、真に池田を心配する友たちの助言を聞こえなくしてしまったのだった。

専門家に依頼するときは一流の人、一流の会社を選ぶ

ソフトサイエンスとの合併後の業績回復は困難を極めた。それは隠された事実があったからだった。

「今思えば、合併のときに、どうしてあんなに相手が焦っているのかと考えるべきでした」

あのとき、ソフトサイエンスはもちろん、証券会社や取引銀行の担当者などソフトサイエンス側の陣営は、やけに合併の判断を逸《はや》っていた。

次々と「良い情報」が持ち込まれ、最後は決まって「池田さんしかいない」と締めくくる。

合併時に提出された事業報告書に、問題はないはずだった。しかし、いくら経営努力をしても、いっこうに旧ソフトサイエンス側の業績は上がらない。

そんなとき、一年前に銀行から出向していた財務担当者が、池田を呼び出す。

「社長、この財務諸表はおかしいです。資産価値が本来のものになっていない可能性があります。ここはまず、私がしっかりと精査しますから、他言無用でお願いします」

しかし、いくら内情がわかったとはいえ、池田がアイネットを守るために残された時間は、じつはそう長くはなかった。旧アイネットの業績が、旧ソフトサイエンス側の事業の穴埋めをし続けていれば、業績はもちろんだが、社員同士の溝も深まるだろう。そうなれば、池田の築いてきたアイネットの姿は、変わり果ててしまう。

一方、旧アイネットの倍以上もの社員を抱えていたソフトサイエンス側の社員は、旧経営陣から「アイネットを助けるために合併する」と聞かされ続けてきた。池田でさえ、繰り返し聞かされた言葉に、ついなびいてしまったくらいである。社員としてみれば、連日のように聞かされ続けた言葉は、いつの間にか、疑うことのない「真実」としてインプットされるのも当然だった。

しかし、せっかく同じ屋根の下でともに働く仲間になったのだ。旧アイネットの社員はもちろんのこと、ソフトサイエンス側の社員も、アイネットの風通しのいい社風の中で幸せにしたい。

そのためには、このM&Aが、あとになってかならず、双方にプラスになったと思えるよう、業績を回復させなければならなかった。

ここから、池田とその側近による、根気のいる戦いが始まった。

池田は、専門家に何かを頼むときに心がけていることがある。それは、「一流の人や会社に頼む」ということだ。専門家への費用をケチっていては、良い結果は生まれないと肝に銘じている。自分の理想の姿を真に共有してくれる相手と仕事をする。それが何かを成し遂げるための鉄則でもある。

池田が門を叩いたのは、日本有数の法律事務所「森・濱田松本法律事務所」。大手町にそびえ、東京駅を見下ろす美しいオフィスは、まさに名門の風情と言っていい貫禄だ。

のちに顧問弁護士となる宮谷 隆は当時まだ三十代という、弁護士会では「若造」であった。しかしその明晰な頭脳と柔軟な発想で、数々の難しい案件をクリアしてきた。

宮谷は、池田とは二十歳も年が離れていたが、相手を見かけや年齢で判断しない池田である。あくまで法律の専門家として敬意を表し、「先生」と呼んで宮谷の指示を仰いだ。

一方、宮谷自身も池田の人柄に一瞬で惚れ込んだという。

「池田社長に初めて会ったとき、いろいろなことを乗り越えてここまでやってきたんだという、創業者らしい力強さと、懐の大きさを感じました。そういうのを『人間力』というのでしょう。法律という『頭』だけでは対峙できない場面というのは往々にしてありますが、そういう大切なことを学ばせてもらいました」

たたき上げの創業経営者と、日本最高学府出身の気鋭の若手弁護士という、来し方も印象もまったく異にする二人だが、誰に対してもフラットで気さく、常に相手に敬意を込めて接するハートフルな性格はよく似ている。

このときの出会いが、池田を苦難の道から救う分岐点となったのだった。

宮谷が池田に説明したのは、このようなことである。

ソフトサイエンスはアイネットと合併して解散となったが、ことの成り行きを聞いている限り、アイネットの経営の舵取りを池田から奪い、再び元の親会社の傘下に収めようと、目論んでいる可能性は否定できない。旧アイネットもろとも、親会社の懐に入ることでハッピーエンドになるというシナリオだって疑えば十分あり得る、と。

「オマハの賢人」とも称された稀代の投資家、ウォーレン・バフェットは、合併や買収について、こう警告している。

合併・買収の話では、病んでいる馬も三冠馬として売られるでしょう

しかも、このときの「病んだ馬」は、大家《おおや》である健全な馬の健康状態さえ、駆逐しようとしていたのだった。

池田もことの大きさに気づき、腹をくくった。

「とにかく社員だけは助けて、幸せになってくれればいい。万が一のときは、自分は腹を切って、どうにでもやり直せる」

そして、親子ほども歳の離れた宮谷に、池田は深く頭を下げた。

「先生、どうかご指導よろしくお願いします」

しかし、池田イズムの浸透を道半ばにして、もしもアイネットが池田を失うようなことがあったら、それは池田の描く「社員の幸せ」にはほど遠い世界となってしまうだろう。池田とともに思いを共有してきた社員にとって、池田なきアイネットなど考えられないはずだ。

池田は、側近中の側近だけを集めて、再び、「エクセレントカンパニー」を目指して、夢と希望に満ち溢れていた「アイネット丸」へと戻すことを宣言する。

ソフトサイエンス側の経営者には、ひょっとして宮谷の言うようなねらいがあったかもしれないが、社員たちには罪はない。

苦労することは目に見えていた。しかし大切に育ててきたこの船と、家族のようにともに寄り添ってきた社員、新たに仲間に加わったすべての社員を、冷たい海の上に放り出すことなど、池田自身が許せるはずもなかった。

いつか池田がこの「アイネット丸」の船長を辞することがあったとしても、それは池田の刻んだ道を引き継いでくれる同志が後継者として育ち、ほかの仲間たちを導くことができたときでなければいけない。

そしてこのときは、まだその後継者たる役者も、池田が身を引くというシナリオも整ってはいなかった。

このM&Aを進めたことに対して「責任を取る」ということは、池田が辞するということではない。もとのアイネットの企業文化へ戻し、本来の資産価値に持っていきながらも利益を出し続けること。

そのうえで、かねてよりの目標である「東証一部上場」を果たし、さらには、「Ｕｐ Ｓｔａｇｅ Ｕｐ Ｐｌａｙｅｒ」を体現し続ける基盤を作ることこそが、責任の取り方であるはずだ。

そこに思いが至った池田は、自分が持つべき「覚悟」とは、戦いの場から身を引く「腹を切る覚悟」ではなく、たとえ満身創痍になろうとも、自ら戦いの先頭に立ち、社員を幸せに導くまで決してその場を離れないという「命を削る覚悟」であると、深く胸に刻んだ。

優雅に見える白鳥も水面下では必死に足を漕いでいる

一九九五年に株式公開した際の初値は一二三〇円ほど、その後、順調に業績を上げ続けたアイネットは、ソフトサイエンス社と合併する前のピークは一四五五円にまで株価を上げていた。

ソフトサイエンス社と合併してから、株価は下がる一方で、ついには三〇〇円台にまで落ちた。下げ止まったところで親会社が大量の株を買い取り、再び、古巣の傘下に戻るというシナリオが、もし本当にあったとしたら、と考えると震え上がるが、その後、取締会で重要な議案が次々と上がる中で、事業計画等に触れながら株の買い増しをすることが怖くなったのかも知れない。なぜか買い進みは止まった。

ソフトサイエンスは、書面上では「現金収入は少ないが、資産がある」ことになっている。しかし、「価値がある」はずの資産は、実態とは大きな乖離があった。これを本来の資産価値へと持っていく一方で、それをカバーするために、とにかく業績を上げる施策を打つしかなかった。これまでの三倍以上は業績を出さなければ、アイネット自体が赤字に転落してしまう。ことの内情はわからない社員たちも、とにかくがむしゃらに働かなければならなかった。すべての資産を本来の価値へと戻しながらも、利益を出すために、あしかけ十年もの歳月が必要になった。

Sは池田が淀みなく指示を出すその自信にあふれた姿を見て、内心震えていた。

「もしかしたら、もともとソフトサイエンス側の企てをわかっていてM&Aに応じたのではないか……」

そうだとすれば、彼らの描いていたシナリオは、絵に描いた餅になる。

しかし池田本人は、何事もなかったかのような顔で日々の経営を実行しながら、必死で冷静さと明るさを保っていたのである。それはまるで、水面下では必死に足こぎしながら、優雅に水面《みなも》を泳ぐようにみえる白鳥のようだった。

池田に対し、畏怖《いふ》の気持ちと不気味さを感じ始めたSは、早々と新生アイネットから手を引くことを考えた。

「池ちゃんさえいれば、新生アイネットは大丈夫だよ。俺はまた別の事業をしようと思うんだ。どうだろう、出資してくれないか」

こうして二〇〇三年、Sは池田と元親会社の出資で新会社を設立。社長の座に収まった。

これ以上会社に迷惑はかけたくないと思った池田は、個人で資本金の一部を拠出したが、それも、Sへの手切れ金だと思えば、高いとは思わなかった。

元の親会社もSの言葉に、多額の出資を決めた。旧知の仲のSに出資するからには、池田よりも多く出さなければ、彼のプライドが許さなかったのだろう。しかし結局、三年で同社は清算。

もともと池田に恐れをなして逃げ込む先がほしくて作った会社だ。さほど業績も上がらず、主要株主だった親会社は、清算資金もすべて負わされ、数億円をドブに捨てる羽目になった。

元親会社もSに踊らされたという意味では、池田と同志だったのかもしれない。

人のせいにしたら真実が見えなくなる

ソフトサイエンスの実情に気がついてからの、半年から一年の間、社員の前では「池田らしい池田」を演じてはいたが、頭の中ではSへの恨みと憎悪に満ちていた。自分でも、これほどまでにネガティブで、他者を恨むことのできる人間だということが、信じられないほどであった。

当時を知る社員は振り返る。

「社長と主要な役員たちだけが、どこかで集まって何かを話している、という雰囲気は感じていました。今思えば、あのときほど疲れた顔をした社長は、あとにも先にも、見たことがありません」

弁護士の宮谷はこう記憶している。

「先生のところに来ると、気持ちが明るくなるんだよ」

池田は宮谷に毎回こう言って笑顔を見せた。勘の鋭い宮谷は「普段は明るい気持ちでいられないんだな」と察した。

「池田社長の笑顔のために、僕が役立ってると思うと、身が引き締まりました。そしてさまざまな幸運が、アイネットと池田社長を導いてくれたんだと思います」

宮谷が察していたとおり、その頃、池田の胸中はまるで穏やかではなかった。

素の自分をさらけ出せる自宅では、普段の池田からは到底考えられないような穏やかではない言葉が口から出た。

「絶対に許せない」

自分でも恐ろしくなるほどの、憎悪の念だった。

その日も、自宅でまるで呪いをかけるかのように、誰に言うでもなく件の暴言を吐きだしていた。半ばノイローゼ状態だったと、本人も述懐する。

そんなとき、そばで見ていた妻が、ボソッとつぶやいた。

「あなた、また同じこと言ってるわよ」

どんなときも寄り添ってくれた妻の一言は、池田の心に突き刺さった。

「あれ、俺、また同じことを言っていたか」

呪いの呪文よろしく、相手への憎悪を吐き続けていたことに、池田自身気がついていなかったのだ。

しかし、池田の持つ生来の素直さは、そんな憎悪の念から池田を救ってくれた。妻のつぶやいた、たった一言に、池田はわれに返った。

「俺は今まで、このM&Aを『騙された』と人のせいにしてきた。でも俺に欲があったから、その隙をつかれたのではないか。そもそも、騙されたというより、自分が選択した道だったではないか」

池田が本来もっとも嫌っている、自分の身に起きた不幸を他者のせいにするという生き方を、ほんの短い間だったとはいえ、自ら選んでしまっていたのだった。

当時、目線はすでに東証一部上場へ向けていた。社内外にも公言していたし、亡き友と男の約束もした。池田はどうしてもこれを実現させたかったのである。

同業他社と合併することで会社の規模が大きくなり、うまく経営していけば、アイネットだけで一部上場を目指すよりも早く、その夢が叶うかもしれない。

池田が抱いたその欲望は、相手から見れば、恰好のターゲットとなった。

「悪いのは、欲深い自分だった」

このときから、他責ではなく、自責の精神で生きることに決めた。正しいと思ったことは、四の五の言わずに、即実行する。それが池田の持ち味だ。

「人のせいにしていたら、何にもならない。俺は変わるぞ」

昨日までの自分を断ち切るように、自分自身に固い約束を交わした。同時に、直情的に物事を判断するのはやめようと決めた。自分に降りかかることこそ、冷静に俯瞰《ふかん》して見なければいけない。そう肝に銘じた。

「そうすると、不思議なことにね、一気に人のことが見えるようになったんですよ」

欲や怒り、そのときの一瞬の感情、自分は悪くないという思い込みのフィルターは、人間の目を曇らせ、真実を見えにくくする。自分の見たいものばかりを見ようとし、その判断を疑うことなく、それが真実として意識の中ですり替わる。

そこに気づいた瞬間、池田はハッと、あることに思いが至った。

役員全員が反対する中で進めたM&A。他者の意見を聞かずに独断で決めたことに、周囲を巻き込んだのは、ほかの誰でもなく自分ではないか。

「被害者意識は間違っていた」ということに、改めて気づかされたのである。

そしてもう一つ、大きな意識の転換があった。

「自分のイズムを大切にして内側からゆっくりと企業文化を醸成していくことで、盤石な体制を作ってから、規模の拡大を目指す」ことが、アイネット流だとしたら、「小さい会社が集まってまずは大きくする。業績の心配があればさらにより大きな会社へ身を寄せる。そうすることによって、会社や社員を守ろうとした」のが、ソフトサイエンスの親会社の経営手法だったのかもしれないと、思いがいたるようになったのだ。

十人十色と言うが、経営者もまたさまざまだ。手法の違いを認識しないで合併を進めたことが問題であって、一方的に相手を責めていた自分は、人間として未熟だったのではないか。

あのとき、憎悪の目でしか見られなかった相手側の経営陣に対して、今ならこう思える池田がいる。

人間万事塞翁が馬

意識が変わったことで、再び池田に運が回ってきた。

もしもあなたが「最近ツイてない」と思ったら、自らの考え方や振る舞いを見直してみればよい。自分が変わることで、自分を取り巻く運勢が変わってくるのだと、池田の生き方は教えてくれる。

「人間万事塞翁《にんげんばんじさいおう》が馬」という中国の言葉がある。前漢の時代に書かれた『淮南子《えなんじ》』の中の人間訓に紹介されている故事だ。「人間の幸不幸は誰にもわからないもの」という意味で、日本でも広く知られている。

池田はまさにこれを実感したことがある。

二〇一一年、ソフトサイエンスの元親会社が、別の企業に買収された。社長は買収元の企業の相談役に就任し、会社は解散となった。

ソフトサイエンスの大株主だった元親会社とその社長は、ソフトサイエンスとアイネットが合併したことで、法人と個人がそれぞれ、アイネット本体や池田よりも多くの株を所有する新生アイネットの大株主となっていた。

その会社が別の会社に買収されたのである。通常であれば、買収した側の会社が新生アイネットの大株主になるはずだ。ソフトサイエンスの元親会社は、ソフトサイエンス社との戦略的な合併を指揮していたが、それでも池田の経営方針に口出しすることなく、独立性を担保していた。池田をこれからのＩＴ業界を背負って立つ経営者と見込んでいたからこそ、「物言わぬ株主」という態度を貫いていたのだろう。

しかし、大株主が変わったときに、彼と同じように池田の経営手法を評価するとは限らない。もし「物言う株主」であれば、池田イズムで経営してきた社風や経営方針にも、大きな影響を与えかねない。これは危機と言ってよかった。

ところが、である。

買収した会社は、「アイネットの株はいらない」と放棄。百万株にも上るこれらの株は、アイネットが買い取った。捨てる神とは、まさにこのことだろう。

残るは、元社長個人が所有する株だ。彼は株価の下がりきったアイネットの株に、興味を失いかけていた。池田が、彼の所有する株を買い取りたいという話をすると、全株手離してもよいという、返答が来た。

「これで、元のアイネットに戻せる準備がすべて整う」と思った。そう思えば、心も浮き立ち、つい足取りも軽くなるのが人情だ。そして、喜びを隠せず口角を上げて株式売買の話にはせ参じたのである。

「もっと悲痛な顔で登場すれば良かったんだけどねぇ」

冗談めいて振り返る。池田があまりに意気揚々と登場したものだから、すべての株を手放そうと思っていたソフトサイエンスの元親会社社長は、株を手放すのが惜しくなってしまったらしい。

とはいえ、売却するという約束はしている。いくらなんでも、「やっぱりやめた」と前言撤回するには、大人げないと思ったに違いない。

そうして、全株売却だったはずの約束は、「半数を売却」に突如変更された。

「これはあとにも大きく響いている」

しかし、一方ではこうも思う。

「相手はアイネットの経営を信頼してくれているし、わが社にとっても、緊張感を与えてくれていることには間違いない」

人は、見えた景色を見るのではなく、見たいと思う景色を見るものである。

古代ローマの智将カエサルがそう言葉を残したように、池田は憎しみや怒りというフィルターを外したことで、「誰にでもそれぞれの思いはあり、誰からも学ぶべきことがある」という「美しい景色」を手に入れたのだった。

時代を読め

運命の神に救われたかのような大逆転により、戻しきれなかった七十万株という傷跡を残したものの、アイネットの経営の主導権が他者に渡るという危機は免れた。

しかし、M&Aによって抱え込んだ大きな負担は、アイネットの経営にとって、重い荷物となってしまった。

新生アイネット誕生から一年後、かねてより用地を取得していた第一データセンターⅡ期棟が稼働。さらに翌年には、三菱重工横浜ビルに本社を移転する。

この年は、合併後の混乱から一歩抜け出し、改めて自社を見つめ直した年になったようだ。「創業の原点である、『企業は世のため、人のためにあるべき』という考えに立ち返り、時代の要請に応じたソフトウェア開発、情報処理サービスの提供をおこなうことによって、変化をチャンスととらえ新たな活路を開いていきましょう」

合併直前より休刊していた社内報『あいねっとニュース』(『アイネットニュース』より改称)が二〇〇三年一月に復活すると、記念すべき復刊第一号に池田はこう記した。

原点回帰を高らかに宣言し、ここからまた、池田らしい企業風土を再構築していくことになる。

池田らしさとは何かと言えば、池田自身によるこの言葉に尽きる。

「①社員が活き活きと働いてお客様に喜ばれるサービスを提供し、②株主に利益を還元し、③広く社会に貢献すること」

この二年は、とくに重い荷物に苦しんだ年であったが、二〇〇三年、「第二の創業」を掲げ、経営構造の見直しを始めるなど、その標語に相応しい構造改革に着手していった。

池田は創業から現在まで、一貫して「時代を読め」というメッセージを送り続けている。これまでも幾多の時代の変化に対応してきたが、他者が逆境と思うような荒波を、チャンスに変えて成長へのバネにしてきたことを思えば、その対応力の高さに驚かされる。

みなとみらいに美しい白い帆船が係留しているのを見たことがある人は多いだろう。悠然とした姿ではあるが、競技用ともなるとその美しい姿からは想像もできない過酷な世界が待っている。

ヨットマンはジュニアの頃からこう叩き込まれる。

「波を避けるな、波に乗れ」「風から逃げるな、風をつかめ」「即時判断と少し先を見る力を養え」

目の前の風や波をよけようとすればするほど、転覆の可能性も出てくることを、彼らはよく知っている。

恐れていては、前に進めないだけでなく、思わぬ波に足を掬われる。さりとて無謀な判断ではかえって危険が増してしまう。的確な判断と近い未来の予測、そして咄嗟の判断を動作に変えられる勇気。どの角度や体重移動で波に乗れるかを客観的に見つめる力は、日々の地道な練習でしか得られない。

そして、自然と対峙するスポーツである以上、傲慢な舵取りでは良いレースはできない。

「海なし県」である栃木県育ちだが、池田はまるで、実業界のヨットマンのようだ。美しい帆を持つアイネットという名のヨットは、池田の見事な操縦能力と洞察力によって、幾多の波を乗り越えてきた。船が大きくなってもその舵取りの鋭さは変わることなく、さらなる広い世界へと突き進んでいく。

「海は男のロマンだ」と人は言うが、会社経営もまたロマンなのかもしれない。

もう一つ、二〇〇三年から社員に呼び掛けていることがある。それが、社員の自社株購入の勧めである。

会社は株主のもの、と言われる。一方で、社員が自社に愛着を持ち、自分の仕事に自信と誇りを持つことが、池田の目指す「良い会社」でもある。社員の持ち株比率を上げることは、その双方の理に適うものだと信じている。

特徴ある優良企業の中で、株式公開をしないと決めている企業がある。その理由の多くは、「自社文化を大切にしたい」という点に尽きるだろう。一般的に、株式公開し、多くのステークホルダーを抱えれば、会社経営の方針が創業者の思いとかけ離れる可能性が高まる。

社員が株主になることで、経営の一翼を担っているという自覚も芽生え、自身の仕事への責任感も増すだろう。やりがいとは、自ら動き、汗水たらしたものからしか生まれない。そしてそのような人が集まる会社であれば、必ず社会へ貢献する企業へと成長し続けるはずだ。

一人ひとりの社員が、誇りを持って働く姿は、その周りの人々をも勇気づけ、幸せにする。

あるとき、池田のもとに、一通の手紙が届いた。新入社員の両親からだった。

「学生時代にあれほどグズだったと思っていた息子が、御社に入り、朝早くから堂々として家を出るようになりました。ときおり、会社で起きたことを、面白おかしく話してくれることもあり、おかげで家がとても明るくなりました」

何気ない日常の一コマだが、子どもの変化がよほどうれしかったのだろう。わざわざ子どもが入社した会社の創業者に手紙を送るのは、かなりの勇気がいるに違いない。それでもこうして文をしたためたことに思いを致せば、どれだけアイネットに感謝をしているか、それによって親として幸せをもらっているかが伝わるだろう。頬を緩ませながら手紙を読む池田の顔が浮かぶようである。

一方で、自分の親が、自信に満ち溢れる様子で懸命に社会に役立つ仕事をしているか、子どもが知れば、その子どもはどんなに親を誇らしく思うだろう。社会で働く大人の存在が、いかに眩しく映るだろう。これから未来を創り上げていく子ども世代の、将来への希望に満ちた瞳をも、アイネットは育てているのかもしれない。

「企業は社会の公器」

それは実際に提供するサービスのことだけではない。そこで働く社員はもちろん、彼らを取り巻く多くの人々を未来へと導く、壮大な「公器」なのである。

人のためだからこそ、戦える

企業は、社会のために存在しなくてはならない。池田は常にこの考えを念頭に置いている。もちろん、自分自身も社会に貢献する仕事をすることが、池田にとっての使命の一つだ。

池田は一九九六年から二〇〇二年にわたる二期六年間、「神奈川県情報サービス産業健康保険組合」の理事長を務めていた。組合側からは、あと一期三年務めてほしいと要請されていたが、前年の二〇〇一年にソフトサイエンスとの合併があり、社内は混乱を極めていた。半ばノイローゼ気味だったと明かした、その時期だ。

「申し訳ないとは思ったけど、引き受けることはできませんでした。自社も自分も、一番苦しいときだったから」

二〇〇二年七月に二期目を満了し、自社の問題解決に専念することにした。死ぬ気で成し遂げなければならないと腹をくくっていたのだ。当然である。

そんなあるとき、池田の元を、十人の若手経営者が訪れた。みな、神奈川県内の情報サービス業界の経営者だ。

「折り入ってお願いがあります」

かしこまって、十人は池田の前に並んだ。

「神奈川県情報サービス産業協会の、次期会長に就任していただけませんか」

むろん、断るつもりでいた。健康保険組合の理事長も断ったのだ。それどころではないのである。

しかし、彼らの熱意を聞くうちに、頷いている自分がいた。

「もっと業界全体のためにも役立たなければならない。求められたときにこそ、相手にとって真に役立つことができるのかもしれない」

余裕などみじんもなかった。自信があったわけでもない。池田の心にあったのは、貢献したいという気持ちと、ここまで真剣に頼まれたことならば、引き受けなければという男気だった。

こうして、もっとも苦しかったと語る二〇〇三年、池田は神奈川県情報サービス産業協会会長に就任することになった。自社だけでなく、地域全体の同業者たちを取りまとめる重責であるが、以後、五期十年にわたり、担うことになる。それは池田の経営活動が、社外から認められたという、信頼の証でもある。

「神奈川県情報サービス産業協会会長に就任したことが、自分にとって本当に良かったことだと、しみじみ思っているんです」

神奈川県は九〇〇万人弱の人口を擁するビッグシティーだが、首都・東京にははるか遠く及ばない。人口よりも格差があるのが、産業界だ。本社の数や、世界に通用する企業の数、どれをとっても、活気が感じられる数字が見えてこない。

新興産業とも言えるIT業界も例外ではなく、とにかく一社でも多く入会してもらい、たがいに切磋琢磨し合える環境を作っていくことで、神奈川のIT業界に活気をもたらしたいと池田は考えていた。情報サービス業界全体の底上げをしなければ、世界に伍して戦えない。そのためには、協会の会員数を増やし、同業同士が結束し、互いを高め合う関係づくりが不可欠だった。

池田が掲げたのは「業界のプレゼンス（存在感）の向上」だ。

協会になかなか新会員が入会しない。その大きな理由は、主に若手経営者たちが、入会するメリットを感じていなかったからだ。

「仕事を取り合う同業が集まってどうする」

そのような発想でしか、協会は見られていなかったのだった。

しかし、池田はそう考えなかった。業界全体の質を高め、社会にそれを認めてもらう。神奈川県に住む人が、自分の子どもをその業界に入れて安心する、いや、入ってほしくなる。そこまでの価値を認めてもらうためには、地道に正しいことを伝えていくことこそが大切だと考えた。

もっとも大切なのは、今いる会員たちが、自分自身の仕事を誇りに思い、家族が、その仕事に就いていることを誇りに思えること。未来を担う尊い仕事だと感じ、そこには磨き合える仲間たちがいると知ることが大切だ。

これは、池田が自社の社員に対して感じていることと同じである。

「家族慰安地引網大会」「フットサル大会」など、会員や家族が楽しめるイベントの開催を開始。絆を深める活動は、今に引き継がれている。

「大学向けSE講座」も池田が始めた事業だ。情報サービス業界は、客先に派遣されて働く人も多く、派遣期間が終了すると、次の派遣先が決まるまで不安な気持ちを抱きやすい。彼らのモチベーションや技術レベルが常に高いことや、人の役に立っているという実感を得られることが大切なのである。

そこで、地元の大学を中心に、普段は客先に派遣されているSEのうち、本来の所属企業に一時的に戻り、「仕事待ち」である人材を講師として派遣。先生として、活躍してもらうことにした。普段、当たり前のようにしている自らの仕事が、学生に教えるに足る技術であることを再認識でき、自身の仕事に誇りを持つこともできるだろう。学生にとっては、企業で活躍するプロのSEに学ぶことは、何より刺激的であるはずだ。

地域社会への貢献も欠かせない。特別支援学校への寄付をはじめ、地域と連携した活動を積極的におこなうようにした。

このような活動の結果、池田が会長に就任した当初一七〇社ほどだった会員数は二期四年で三〇〇社を突破。協会員からは絶大な信頼を得た。

その実績が、池田に大きなパワーを与えたのだった。

「自分の施策は正しかった、という大きな自信になったんですよ。そして何より、協会員のみんなが、信頼を寄せてくれたこと。これが本当にうれしかった」

アイネット内部では、知能戦が繰り広げられ、同時に業績を向上させるための施策も矢継ぎ早に打たねばならなかった。合併に伴う裏事情は、一部の側近にしか知られてはいけない。

池田は、孤独だったのである。

孤軍奮闘とはまさにこのことだろう。しかし社外での活動と、それをともにする仲間との交誼《こうぎ》が、池田に戦う力をくれたのだ。

「結局ね、自分のため、自社のためとばかりにやるよりも、社会のため、みんなのため、と思えたから、あそこまで頑張れたんですよ。出るパワーが違うもの」

池田が会長を務め、目覚ましい業績を上げたことで、アイネットの知名度も上がった。さらにアイネットの社員たちも協会活動に参加することで、彼らの視野が広がったことは思わぬ副産物だった。

「これも、『運』なんですよ。あっち（健保組合）を断っていたから、こっち（神奈川県情報サービス産業協会）を引き受けることができた。もちろん、最初は戸惑ったけれど、あんなふうに、要請されたら、やるしかないって思ったことが、本当に良かった」

どこまで謙虚なのか。それとも信心深いだけなのか。どんな功績も「運」で片づけてしまう池田である。

人に出会い、学び合い、活かし合い、感謝し合う

「もはやＩＴは新しいライフラインになった」

二〇〇四年六月におこなわれた第三十四期キックオフパーティーでの池田の言葉だ。

翌年の二〇〇五年は個人情報保護法が全面施行され、情報の漏洩対策に、どの企業も躍起になった。アイネットにとっては、各企業がその道のプロに外注するというアウトソーシング化の流れは、むしろ強い追い風となった。セキュリティ管理が徹底されたアイネットのデータセンターは、大きな武器となっていった。

この間、既存ビジネスは順調に成績を重ね、同年、中国・上海啓明企業発展有限公司と合弁会社「上海啓明聯和計算機技術有限公司」を設立し、海外へも初めて進出を果たした。

情報セキュリティを求められる時代の流れのなかで、業績の向上はもちろん、情報インフラサービスが「社会の公器」であり、「新しいライフライン」であるという池田の考えは、広く社内外で認められることになる。

たった一人で創業したアイネットも、今や社員は一〇〇〇人を超えようとしていた。合併前、三〇〇人だった同社に、ソフトサイエンス社との合併で七〇〇人もの新しい社員が増えたのだ。しかし、池田はその一人も、リストラすることはなかった。池田は成果主義の導入や、社外からの人材を積極的に活用すること、若手社員の育成や、ビジネスモデル提案制度の導入など、社内の活性化に努めると宣言している。

社員を思い、会社を成長させ、社会に貢献し続ける。会社が大きくなろうとも、池田の気さくな人柄と、その高い志は変わらない。合併企業の社員を冷遇することもない。縁あって同じ会社で働く同志になったのだ。

池田の好きな詩人のひとり、相田みつをの詩に、こんなものがある。

人の世の 幸不幸は 人と人とが 逢うことからはじまる よき出逢いを

その詩を額に入れて執務室に飾り、いつも見えるようにしている。

人は、人に出会い、学び合い、活かし合い、愛し合い、感謝し合い、そしてまた、その信愛を次世代に紡いでいくのが美しい。池田もまた、このような信念を両親から受け継がれて生きてきたのだろう。頭ではなく、体に沁みついているのは、それが決して昨日今日身についた思考ではないからだ。

しかしなぜだろう。差し出した愛情を受け取らない人がいることも、世の常である。

合併から少し経ったあと、社員から一枚の紙を渡された。

「社長、こういう会合があるので、社長もぜひいらしてください」

ソフトサイエンス社側の部署の、食事をしながらの会合だという。社員にこう請われ、目的地へ行こうとしたが、道に迷ってしまった。そこへ、会合に参加するらしい別の社員に遭遇した。

「あ、君。ちょうどいいところで出会ったよ。この会に参加したいんだが、場所がわからなくてね。教えてくれないか」

池田に紙を見せられた社員は、顔色を変えて、社長である池田にこう言った。

「あんたがこの会に参加する資格なんて、あるんすか?」

なにかの間違いかと思った。いや、間違いであってほしいと思った。咄嗟《とっさ》に、その社員をもう一度見ると、社員は池田の顔を、鬼の形相で未だ睨みつけていた。

狭量な経営者であるなら、この一件で、社員の処遇を考えるかもしれない。しかし、池田は、憎しみや恨みを持つのではなく、この社員の態度に、ある種の寂しさを覚えた。自分が社員を大切にしようと思っていても、握られた拳では受け取ってもらえない。さりとて、その拳を開かせるために、無理やり池田がこじ開けるわけにはいかない。握りしめた拳は、自分の意思で開かなければいけないのだ。

ほんの一時《いっとき》ではあるが、自らも人を恨み、憎しみを抱いた時期があったことを思い出した。このような態度しかとれない社員は、本当に幸せだろうか。あのときの自分のように、憎しみという深く暗い沼から、自ら這い出すことができるだろうか。睨みつけた相手の心の闇、あるいは葛藤を、案じてしまうのが池田なのである。ちなみに、この社員は最後まで池田に心を開くことはなかったが、冷遇されることもなく、無事定年まで勤務したそうだ。

ＮＣＫと合併した際は、池田は相手側のエンジニア全員と面談し、これにより、築いた社員たちとの絆は、かけがえのないものとなったことは前に述べた。

今回、七〇〇人全員と面談することは叶わなかったが、部長クラス以上を集めた合宿などをおこない、親睦を図って意思疎通をしようと試みた。しかし、件の社員よろしく、空回りの連続。情熱をもって接しようとしても、相手は白けた態度しかとらない。経営者同士の友情という、厚い土台があった前回の合併との違いを、まざまざと見せつけられた。

ある種の敗北感とも言ってよかった。しかし、それもまた、池田が生きていくうえでの必要な経験だったのかもしれない。社員と心が通じ合えないとき、経営者はその場面をどう捉え、どう振る舞うべきだろうか。

社員であれば、会社を辞めてしまえばいい。傲慢な社長であれば、気に入らない社員を辞めさせてしまえばいい。しかしそれでは、池田の哲学が許さない。

神は、学ぶべきことしか与えないというが、池田にとってはこうした経験もすべて、人生の糧になっている。社会を見渡せば、自分が理解できる人間ばかりではない。自分もまた、常に周囲からの理解を得られているとは限らない。苦い経験が、池田の器をまた一つ大きくした。

むろん、七〇〇人すべてが池田に反抗的であったわけではない。むしろ、池田の人柄を愛し、経営手法に信頼を寄せる社員のほうが多かった。

あるとき、定年間近の女性社員が、池田の前に来てこう言った。

「社長、私はＯＬ生活最後の二年間で、初めて『本物の経営者』を見ることができました。私の会社がアイネットと合併しなかったら、私の数十年のＯＬ生活は、真っ暗なものになっていたと思います。楽しく、素晴らしい経験をさせてくれた二年間でした。本当にありがとうございました」

多くを語らなかったが、満面の笑顔で話す彼女の目には、うっすらと涙が浮かんでいた。

彼女は、二〇〇一年のソフトサイエンス社との合併時に、定年まであと二年というときにアイネットにジョインしたベテラン社員だった。

彼女が、長きにわたるＯＬ生活で有終の美を飾ることができたのは、池田が創業時から大切にしている「感謝経営」の賜物だ。

人に感謝し、社会に感謝し、機会に感謝し、先祖や天に感謝する。たとえ自分の感謝の念が、相手に届かなくても、それも経験の一つだと、感謝に変える。

そして、感謝して生きる者は、こうして多くの人から、感謝される人になる。

時間と資源を「昨日を守る」ためには使わない

二〇〇四年（第三十四期）、二〇〇五年（第三十五期）と二期連続で、同社は過去最高益を更新した。既存ビジネスはもとより、子会社や新規事業の順調な推移もあり、低迷する業界で綺羅星のごとくその輝きを放っていた。

好調なときほど、攻めの姿勢だけでなく、守りの体勢も強化する。その両輪は、安定を保ちながらも、時代とともに成長する企業に、ともに必要なものである。池田にとっては二〇〇一年の合併時の大きな痛みとともに、強く胸に刻み込んだ「教訓」であった。

二〇〇六年、日本は騒々しい年明けを迎えた。

当時、時代の寵児ともてはやされた「ホリエモン」こと堀江貴文が粉飾決算などの容疑で逮捕されるライブドア事件が発生。その後、村上ファンド代表（当時）の村上世彰がインサイダー取引で逮捕された。連日のマスコミの報道により、コンプライアンス、ディスクロージャー、コーポレート・ガバナンスなど、巷の人々にはこれまでに聞きなれなかった経営用語が、テレビや新聞を介して目に触れるようになっていた。

その事件が明るみになる少し前の十一月からの三ヶ月、アイネット本社には、東京証券取引所の審査官が訪れていた。東証一部指定の審査のため、池田や幹部にヒヤリングをおこなっていたのだった。

お茶の間を賑わせた二人の著名経営者の逮捕により、企業のコンプライアンスについて世間は厳しい目を向けていた。粉飾決算をしたとされるライブドアは、世間の目を欺いたとして東京証券取引所より上場廃止の判断が下された。

ライブドアとは無関係のアイネットの審査においても、厳しい目が向けられることになる。アイネットが申請をしたのは十一月だから、ライブドア事件を受けて、付け焼刃の対策を打ったわけではない。

奇しくも、二〇〇三年に「第二の創業期」と掲げてからのアイネットは、さまざまな構造改革に乗り出していた。

業績が順調に推移していく中で、「会社は社会の公器」という信念のもと、情報サービスのセキュリティ基準である「ISMS」や、品質管理基準「ISO」などの取得など、信頼を担保するための企業努力を欠かさなかった。

IT業界という成長産業であることや、好調を続ける業績、さらに信用というベースを備えていたアイネットが東証一部へ昇格を果たすことができたのは、当然と思う人もいるだろう。そのために、入念な準備を重ねてきたのだ。

しかし、当たり前に得たのでなく、何か見えないものの力を感じざるを得なかったと、当時、企画本部で東証審査の窓口を担当していた高宮 靖は述懐する。

ヒヤリングの最終日を数日後に控えた二月のある日、高宮あてに、一本の電話が鳴った。

電話の向こうにいたのは、東証の審査を担当していた審査官だった。

「最終日には、データセンターを見せてくれませんか。それを見れば、きっとあなた方の提出した書類の内容が本物かどうか腑に落ちると思うんです」

ビジネスモデルには、大きく分けてストックビジネスとフロービジネスがある。

なかでも、日本を代表するような優良企業の多くは、ストックビジネスを根幹にしていると言われている。

ストックビジネスとは、定期的に仕事があり、継続して安定的な収入を得られ、時間の経過とともに収益が積み上がるという利点があるが、初期投資が掛かることも多く、継続的な顧客を確保するまでに時間が掛かることがある。インフラ事業、メンテナンス業を代表する定期的なサービス、メーカーの保守、リース業や会員制ビジネス、などもこれらに含まれる。

一方で、フロービジネスとは、一度の取引で顧客との関係が完結するタイプのビジネスで、多くの業種で成り立つが、継続的な利益を上げたり、収益性を安定させることが難しい。小売業や飲食業も、その都度顧客を獲得しなければならないフロービジネスだ。しかし、工夫によって、フロービジネスをストックビジネスに変換できることもある。通販事業で一度きりの購入であればフロービジネスとなるが、定期購入会員を増やすことでストックビジネスとなるわけだ。

アイネットの既存ビジネスはこのストックビジネスにあたる。自前のデータセンターを所有しているということは、ストックビジネスの「装置」を持っていることと等しく、ペーパーを見ただけではイメージしづらいＩＴの世界でも、それがストックビジネスであるということがわかる。

一方で、二度にわたる合併で獲得した分野であるソフト開発部門は、フロービジネスにあたる。アイネットは、経営の安定を図るため、二〇〇五年ごろから、ソフト開発部門のストックビジネス化を目指してきた。

顧客との直接契約や提案型営業で、関係を強化し、メンテナンスなどの包括的なサービスの提供が可能になれば、ストックビジネスへと変化する。

アイネットが取り組んでいた「フロービジネスのストックビジネス化」は、東証一部上場への昇格というだけでなく、その後も会社を救うことになる。もっとも、「その時」がもうすぐ来ようとは、この時の池田には知る由もなかった。

二〇〇六年二月三日、東京証券取引所の審査官が、横浜市内にあるアイネット第一データセンターを訪れた。

四年ほど前に完成したばかりの、まだ新築感の残る建物。最新のセキュリティを備え、池田が「一流に依頼した」と自信を持つ美しい建造物に、審査官は目を瞠《みは》った。一つ一つの設備を確かめるように、あらゆる場所をゆっくりと見学し、担当者の説明に頷きながら歩く後姿を見て、髙宮は昇格への確信を胸に抱いた。

「今思えば、データセンターの見学が決め手になったと思います」

二月六日には本社にて池田らのインタビューをおこない、その後も数日間、髙宮と審査官とのやりとりは連日深夜まで続いた。

二月十七日の夕刻、髙宮あてに、再び件の審査官からの電話が鳴った。

「一部上場への昇格が内定しました」

「あ、ありがとうございます！」

夕刻とはいえ、二月である。窓の外は、もう暗くなり始めていた。カラスはとっくに家に着いているようだ。しかし、髙宮の心は、突然朝が来たように、ぱっと明るくなった。長い冬に耐えてきた動物が、ようやく春を見たかのような、そんな気持ちだったのだ。正月気分も味わえないまま、駆け抜けた冬だった。

急いで社長室へ向かう。池田に早く伝えたい。心は躍ったが、なぜか顔はこわばった。

「社長、一部上場昇格に内定しました！」

自分では、弾んだ気持ちで言ったつもりだったが、緊張しすぎたせいか、並々ならぬ形相で登場したらしい。その顔を見た池田は一瞬、ぎょっとしたが、長年仕事をともにした髙宮の、緊張と喜びが混じった表情を見て、ほっと安堵した。

「そうか、決まったか。髙宮も、お疲れさまだったな」

長い長い道のりだった。小さいマンションの一室で、デスクひとつで立ち上げた会社が、三十五年目にして社会のお墨付きを得た。それも、「東証一部」という最上ランクの大金星だ。

一人で始めた会社が、連結一七〇〇人の従業員を擁する企業になった。株式公開、東証二部、東証一部と、その都度社会からの厳しい審査に挑み、勝ち取ってきた。これは一つの奇跡に等しいのではないだろうか。

むろん、油断はできない。その巨体ゆえ、その信頼度の高さゆえ、あるいは、その歴史の長さゆえに、自らを律することを忘れて倒産した企業は数知れない。

「いつか、アマゾンは潰れる」

世界巨大企業の一つ、アマゾンを挑発するような発言をしたのは、アマゾンの競合他社でもなく、経済評論家でもない。ほかの誰でもない、アマゾンＣＥＯ、ジェフ・ベゾスその人である。二〇一八年の社内会議での内容を、ＣＮＢＣが録音で確認した内容だという。これに続けて、ジェフ・ベゾスは、社員に向かい、こう警鐘を鳴らした。

「もし我々が顧客ではなく、我々自身に注力し始めたら、それは終わりの始まり。我々は終わりの日を可能な限り遅らせなければならない」

日本は、世界でもっとも百年を越す老舗企業が多い国だ。彼らが口を揃えて言うことは「伝統は革新の連続である」。現状に甘んじないということでもある。ベゾスの言う「我々自身に注力する」ということは、健全な危機感を失い、自己満足な経営をするということだろう。己を信じるというベースは必要だが、時に これまでの成功体験を否定する勇気も必要だ。

イノベーションを行う組織は、昨日を守るために時間と資源を使わない昨日を捨ててこそ、資源、とくに人材という貴重な資源を新しいもののために解放できる

マーケティングの神様と謳われたドラッカーも、過去への固執が孕《はら》む危険性を指摘する。

では、池田はどうだったのか。

二〇〇六年、創業からの目標の一つだった「東証一部上場」を果たしたのち、社長職を退任し、代表取締役会長に就任、実際の業務統括を後進に譲った。自ら掲げたマイルストーンに到着したあとは、社長を若手に委ねることで、自分は俯瞰して会社を見つめようと考えた。

池田は、創業社長という過去に固執することなく、未来を拓く者を支援する側に回ることを選んだ。ドラッカーに言わせれば「イノベーションをおこなう組織」であるといえる。

会長に就任してからの池田は、事業については後任の社長にまかせ、自らは「会社とは、人とはどうあるべきか」「人間力とは」「正しい心」「会社の倫理観」といった、「心」にフォーカスした訓示を述べることに重きを置いている。

優れた上司の最大の功績と言えば「自分よりも優秀な部下を育て上げること」。

それには大きな覚悟がいる。部下が未熟なうちは、責任を取る覚悟がいる。部下が育てば、自分は引退するという覚悟がいる。しかし、こうした覚悟を持っているからこそ、「優秀」なのである。

創業者である池田が社長を退任するにあたって、アイネットは大きな人事異動をおこなった。ソフトサイエンス社出身の役員も全員役員会から退任するといういわゆる「バーター」である。残った役員のなかにも、現在、フジコンサルト出身者は池田を除いて三名のみ。そのほかの役員はすべて、「将来の役員候補」を前提に外部から招聘されてきた社員が就任した。池田イズムを残しつつ、冷静で客観的な目を持つ第三者を取り込むことで、常にイノベーティブな組織にしようと考えたのだ。

その後、社長は二度交代し、池田を除けば、現在は三人目の社長、坂井満が陣頭指揮を執る。

社長時代のもっとも過酷な時期を見てきた弁護士の宮谷は、今の池田を見てこう思う。

「会長になってこそ、池田さんのもっとも素晴らしい部分が活かされていると思います。彼は、もともと広い視野と大きな器を持った人。それに加えて、専門家や部下をうまく使える人です。

だから社長を譲り、会長となって会社を俯瞰して見る方が、会社にとっても、会長にとっても大きなプラスになっていると思いますよ。水を得た魚、と言ったら大げさかな」

もちろん、会長こそが池田にふさわしいと宮谷に言わしめたのは、創業から三十五年、数多くの経験と学びを得て、自らの糧にしたからである。しかしもともと池田の持つ「大きさ」があってこその、吸収力でもある。

そして、池田に言わせれば、「今の自分があるのは、すべて両親であり、先生であり、友人たちのおかげ」。

そう思える人こそ、人の上に立つに相応しい。

危機に直面した時に「運が良い」と思えるか否か？

池田が会長に就任してから二年後の二〇〇八年、世界経済に激震が走った。

アメリカで「低所得者でも一軒家が買える」と宣伝されたサブプライムローン。ローンが売れるとまとめて買い取って証券化するローン会社が急成長し、世界中の富裕層にばら蒔いた。しかしアメリカで住宅バブルが崩壊すると、サブプライムローンを組んでいた人の多くは破綻者となった。結果、証券は紙くず同然となり、これに巨額の資金を投じていた証券会社や投資会社が相次いで倒産。アメリカの大手投資銀行のリーマン・ブラザーズも例外ではなかった。

オバマ大統領は、大量の国債を発行し、国を挙げてリーマン・ブラザーズを救済。これによりアメリカの信用度は低下し、当時ＮＹダウ平均は約半分まで暴落。日本円は一ドル七六円という、超円高となった。

ここまでの円高となれば、多くの企業は非正規雇用者の雇用を控え、正社員であってもボーナスをカットする流れとなる。日本を拠点にする製造業や輸出産業にとっても大打撃だ。どの企業も新規事業には手を出せなくなり、既存ビジネスを回していくのがやっとという状況である。社内のシステムがとりあえず動いていれば、新しいソフト開発を発注することは手控える。ＩＴ業界の中でも、ソフト開発に重点を置く企業は、大きな痛手を被ることとなったのである。

一方、二〇〇一年の合併ののち、安定的収益の拡大を目標に事業構造を再構築していたアイネットは、数年前からフロービジネスをストックビジネス化する動きを取っていた。取引先は新しいソフト開発を注文しなくてもやり過ごせるが、データ処理の依頼をストップするわけにはいかない。ストックビジネスの底力を見せつけた。情報サービス業務の堅調もあって、全体の利益は多少目減りしたものの、同業他社が苦しむ中、この苦境を乗り越えることができたのだった。

アイネットにとって、もう一つ副産物があった。

フロービジネスであるソフト開発部門は、七〇〇人もの大所帯であったが、リーマンショックにより、うち、一〇〇人が余剰人員となっていた。ここで、リストラをするのが普通の会社だが、池田はそうはしなかった。

社員とその生活を守ることは、経営者として当然の責務だと考えている池田は、会社都合によるリストラを何よりも嫌悪していた。

池田はこれらの人員を、本社を始め、ストックビジネスである情報サービス部門などに配置。一人も欠かすことなく、リーマンショックの波を乗り越えた。

池田の信念からすれば、当然の選択であったが、それをするのは容易ではない。役員や社員たちからの協力がなければ成し遂げられないことでもある。しかし、「アイネット丸」の池田船長は、一人とて溺れさせせない。それが、社長時代に「おまえ」と怒鳴りつけた社員であっても、だ。

「自分たちがアイネットを大きくしてやったんだ」

そう洗脳されていた社員たちが、少しずつ「現実は、思い込んでいたものと大きく違っていた」ということに気づき始めた。他社であればリストラされてもおかしくない立場の自分が、こうして社内で仕事を得ているという実感は、単なる気づきを確信に変えた。

自然には、美しい景色と裏腹に、突然人間に牙を剥くという側面がある。それでもやはり、海や山は人に食糧を与え、癒しの存在となる。

池田にとって、経済の波も同じようなものだ。景気が良いときも、そうでないときも、時に企業にとっての危機となり、思わぬところで救いの手となる。

「運が良いんだよ」

池田がいつも二言目にこう話すのには、こういうわけがある。

底はジャンプするためにある

ながながと　三万人の　人影を　まじえて霞む　堤の桜（与謝野鉄幹）
咲く花の　空につづける　幕打ちて　正しく走る　柏尾川かな（与謝野晶子）

横浜市戸塚区から鎌倉市を抜け、途中、ほかの支流と合流して名前を変えながら、湘南の海にそそぐ川がある。二級河川「柏尾川」である。

歌人の与謝野鉄幹・晶子夫妻は、好んでこの川を訪れていた。川面には屋形船が浮かび、両岸に咲く、めまいがするほどのみごとな桜並木を愛でる人々でにぎわった。川岸には提灯が並び、屋台がところ狭しと並んでいたそうだ。

古き良き歴史が残るこの川の上流方面に、近代的な高層ビルが二棟建っている。

「アイネット第二データセンター」である。遠くにみなとみらいを臨む高台に位置し、眼下に街を見下ろす。チャコールグレーと白のコントラストの効いた外観はモダンで美しく、悠然とそびえ立つその存在感は圧巻だ。

厳重なセキュリティに、あらゆるリスクを考え抜かれた近代的な建物。安定した電気の供給や七〇時間も耐えられるという自家発電。超省エネも実現している。

建物を建てた後、受注状況に応じてワンフロアずつ床上げし、空調設備や生体認証付きのゲート等の設備を実装していくが、ワンフロア作るのに十数億円かかるという。その最新の技術を駆使した第二データセンターに一歩足を踏み入れれば、アイネットが常に日本のＩＴ業界をリードしている企業だということがわかる。

これからクラウドビジネスが本格的に展開されると見込んでいた池田は、最新鋭の機能を備えたデータセンターを増設する必要があると考えていた。それも、自前で持つのが、アイネット流だ。

二〇〇八年のリーマンショックは経済的な打撃を日本にも与え続けたが、横浜市にある工業団地の一角をその直前に購入していたことが、アイネットが「第二期躍進期」と呼ぶ時期のスタートに、欠かせない要素となった。

この土地は、ＪＲ横浜駅から電車で約一〇分の場所に位置する戸塚駅より、車で一〇分程度の好立地。

「この土地を今手に入れなければ、後悔することになる」

そう確信していた。池田がこの場所を選んだのは、これから起こりうるあらゆる自然災害を想定してのことだった。

標高四八メートルの高台にあり、海岸から約一〇キロメートル、河川までの標高差三〇メートルという場所柄、津波や洪水からの被害の可能性が低いこと。

埋立地や盛り土をした場所でなく、活断層もない安定した地盤。本社や第一データセンターからも、何かあればすぐに駆けつけられる場所であること。

最新のデータ処理設備、免震構造など、設備面で万全の体勢であることは当然のこととして、立地にもここまでこだわったのは、顧客のデータを預かるという責任に対して、高度な安全性という「信頼」を得ることが、もっとも重要だと考えているからだ。

海に囲まれた地震大国日本に住む以上、自然災害からの脅威はいつ何時でも忘れてはならないリスク要因である。これらのリスクに対応するための事業の需要は、今後ますます増えていくと考えられた。専門家でさえ想定外の大津波が街を呑み込み、多くの犠牲者を出した東日本大震災が起きる、四年も前のことである。

そのようなときに件の敷地が売りに出されたのである。土地探しに一年を費やしていた池田は即座に動いた。二〇〇七年土地を購入。一年かけて計画設計、業者選定などをおこなった。さらに建設に一年。足かけ三年もの月日が経っていた。

その三年の間に、景気の波はリーマンショックで一気に下がり、世界同時不況となった。二〇〇九年六月、第二データセンターを稼働したときには、世の中は先の見えない不安の中にあった。

まるでジェットコースターのような三年間であった。

世界不況のさなかに、高度なデータセンターの新設など、無謀なことだと同業他社は思っただろう。しかし、建設への情熱は止めようもなかった。建設事業を中断しなかったからこそ、誰よりも先んじて手が打てた。常に、時代の一歩先をゆく。それが池田であり、彼が率いるアイネットである。

第二データセンターが竣工した際、池田はその怒涛の三年間を思い、定礎に手紙を入れた。

「二〇〇九年六月。ここに世界一、運に恵まれた企業、株式会社アイネットの二番目のデータセンターが完成する」

人は高く飛ぼうとするとき、一度大きくしゃがまなければならない。リーマンショック前後の業績の落ち込みは、これから大きく飛躍するための、必要な時期でもあったのだ。しかし、辛くても、目線は高く、体を大きく伸ばさなければ、その後の「ジャンプ」はない。

アイネットはこの不調の四年間、「構造改革期」と捉えて戦略を打ってきた。ストックビジネスの強化、直接契約の拡大、ソフトウェアのサービス化など、これらの施策は、ジャンプをするために鍛えた筋力となっていった。

そして、体制を整えたのち、これまでにないほどの高みに向かって、羽ばたき始めたのである。

「逆風」を「追い風」に転換させる

アイネットの戦略とは反対に、自社のデータセンターをあきらめた企業は少なくなかった。現在、データセンターの一部をこれらの同業他社に賃貸している。この「データセンター賃貸業」も立派な事業として成り立っていることを見ても、あのときの池田の判断が正しかったことを物語っている。

二〇〇九年の稼働直後より、国内最高クラスの安全性と最新のテクノロジーを備えた同センターを舞台に、「仮想化オール・イン・ワン サービス（ＶＡ・ｉＯＳ®）」を開始した。仮想化システムの設計から運用、監視、クラウドサービスまでをワンストップで提供するというものだが、これも、すでに自社のデータセンターを所有しており、確かな技術があるからこそ可能なサービスである。

先進的な取り組みとして、日経を始めとする新聞各社が取り上げ、アイネットは「独立系ＩＴ企業の先駆者」としてのイメージが浸透していった。高く飛ぶための準備は整いつつあった。

業績の回復に苦しんでいた二〇一〇年、四十期という節目において、池田は社員に対し、「これからの時代にこそ、心のこもった経営を」と題して、改めて人間性と、創業力や挑戦といったフロンティア精神の大切さを説いた。

翌四十一期には「猛烈な努力が強運を引き寄せる」と訴えた。振り返れば、この年から見事なＶ字回復を果たしていた。

この数十年の池田の言動を振り返ると、不調のときも、好調のときも、常に数字よりも、人の心にフォーカスした言葉が並ぶ。

社会も経済も、流行りもめまぐるしく変わるこの現代において、何十年も同じことを言い続けるのは、容易なことではない。それを実行したのちに残るものが、いかに尊いものであるか、周囲の評価を見ればわかるだろう。

二〇一一年十一月、池田は、新規事業立ち上げと業界の発展に寄与した功績を認められ、日本国政府より「藍綬褒章《らんじゅほうしょう》」を受章した。地道な努力と、真に相手を想う気持ちとともに、進取の気性によって、まだ人力《じんりき》で煩雑な業務をおこなっていたガソリンスタンドに、デジタル革命を起こし、効率と正確性、汎用性をもたらして、ガソリンスタンドの情報処理サービスの「新しい基準」を作った。

努力がかっこ悪いと言われた時代にも努力を説き、会社の業績や、業界の好調が顕著な時にも、胡坐《あぐら》をかくことなく、心を磨き、人間力を高めるよう、社員に求めつづけている。

「第二躍進期」と名付けられた二〇一一年以降、さらなる高みを目指して独自の道を歩んでいる。現在、九期連続増収、十期連続増益の記録を更新中だ。

二〇一四年、第二データセンターⅡ期棟が稼働した。ここを拠点に新しいクラウドサービス「Ｄｒｅａｍ Ｃｌｏｕｄ®」の運用を開始。その名のとおり、まさにアイネットの夢が詰め込まれたクラウドサービスだ。

この年、池田は社員に対し、「ＩｏＴ元年」と宣言。右肩上がりの業績は続き、アイネットは時代のフロントランナーとして、自他ともに認める日本のＩＴ業界を牽引する企業の一つとなった。二〇一四年は「はやぶさ2」の打ち上げ、二〇一六年企業向け「ＣｈａｔＬｕｃｋ」の運用開始、ドローン事業への参入など、毎年アイネットの知名度を高めるトピックは欠かすことがない。それでもなお、驕ることなく、「原点に戻り、お客様を大切に」と初心を忘れない。

この年、池田はまた新たなステージに入る決断をした。代表権を返上し、取締役会長となったのである。これも、経営の実務からのフェードアウトを進めてきた池田の、もうひとつのマイルストーンであった。

さらに、横浜商工会議所副会頭に就任した年でもある。三年を務めたこの大役は、池田が情報サービス産業のプレゼンスの向上を実現させたことを、見込まれたからこその打診であった。

「池田さんあっての横浜であり、横浜あってのアイネット」

創業四十五周年パーティーの席で、当時の横浜商工会議所の上野 孝会頭は、池田がこの地で刻み続けた功績を、こう称《たた》えた。

「ここまできたか……」感無量だった。

「アイネット」の社名は、インテグレーテッドの「i」、ネットワーキングの「n」、エナジーの「e」、テクノロジーの「t」を繋げたものだが、池田のハートフルな人柄が、さまざまな技術や人、未来を繋いだ企業「愛ネット」であるのではと思うほどに、この会社には「心」がある。

取引先、社員、それらに関わる人々に、心のこもったサービスと最新のテクノロジーを届け、さらに未来を見据えて安定的な基盤を築き続けることで、社会に還元する。

すべてが追い風ではなかったけれど、むしろ逆風のときにこそ、それを自らの糧にし、追い風へと転換させてきた。その秘訣が、何であるか、池田の生きざまを見ればおわかりいただけたのではないだろうか。

知性、エネルギー、誠実さ。最後が欠けると、
前の二つは意味のないものになる

（ウォーレン・バフェット）

第5章

人こそすべて

顧客と社員に愛されなければ企業は永続できない

夢は叶えるためにある

二〇一〇年六月十三日、日本中が歓喜に包まれた。いや、世界中が、と言ってもいいだろう。それは、世界初の快挙だった。

二〇〇三年に打ち上げられてから、宇宙を七年間も旅していた小宇宙探査機「はやぶさ」が無事地球に帰還したのだ。この七年の間、交信が途絶え、燃料漏れも起こしていた。はやぶさとの交信が復活してから、多くの人は、その帰還を祈るように待っていたのだった。

たった一人で暗い宇宙をさまよい、満身創痍で帰還した「はやぶさ」は、多くの人にとって、命ある同志のように見えたことだろう。

「はやぶさ」が帰還し、そのカプセルの中に小惑星「イトカワ」の表面サンプルを確認。月面以外のサンプルリターンを成功させたことも、世界初であった。

歴史に残るこの偉業を達成させたのは、日本が誇る、技術の粋の結晶だ。専門的技術を持つ数十社の日本企業がプロジェクトチームに参画、見事成功に導いた。

そのうちの一社が、アイネットだ。探査機の電気試験装置ソフト開発・計装・総合試験・初期運用などを担当。はやぶさプロジェクトメンバーに贈られた文部科学大臣と宇宙開発担当大臣からの感謝状は、アイネット本社で今も褪せぬ輝きを放っている。

驚くべきことに、アイネットの宇宙部門の歴史は、四十年以上と長い。約四十年前の一九八一年、アメリカのスペースシャトル・コロンビアが世界で初めて宇宙へ到達した。この頃の日本人にとって、宇宙は遠い世界であった。

アイネットが宇宙事業に参入したのは、さらに遡る一九七七年。気象観測衛星「ひまわり一号」の衛星運用業務からである。二〇〇一年にアイネットと合併した会社がおこなっていた事業だというが、池田は、四十年のうち、二十年は補助的業務ばかりだったと聞いている。

「宇宙事業といっても、仕事はさまざま。中核を担う業務もあれば、補助的な仕事もたくさんある。その一つをさせていただいていたようです」

合併後もこの部署を継続させていたが、役員には何度もこの部署を解散しようと持ちかけられた。しかし、人も部署も、リストラをするという施策は、池田にとって受け入れがたいものだった。

「なくすのではなく、活かす」

創業からずっと大切にしてきたことだ。ただ、どう活かしていけばよいのか。小さな仕事を積み重ねながら模索が続いていた。

なかなか日の目を浴びることのないこの事業を、いつか絶対に花開かせたいと思ったのは、宇宙事業部社員の気持ちを、池田が知ったことが大きかった。

池田は、部長たちを集めた会合を幾度か開いていた。社員たちの本音を聞きたいということと、上下関係である縦軸ではなく、同じ部長クラスという横軸を通すことで、風通しの良い会社にしたいと考えていたからだ。

とりわけ、東京の部隊は、本社のある横浜にいる部隊と比べ、池田との距離があった。その部署のひとつに、宇宙事業部も含まれていた。

「部長会」を機に、池田は宇宙事業に携わる社員たちと、直接話す機会を得た。

「宇宙とならば心中してもいい」というような情熱を持った社員たちばかりがいたことに、このとき池田は初めて知ることになる。

当時、国の宇宙事業に携われる人材はほんの一握り。民間の企業が宇宙開発に携わる機会も格段に少なかった。当然ながら、宇宙関連の仕事に就きたい人たちの受け皿は今よりはるかに小さく、針に糸を通すよりも難しい関門だった。

当時まだ珍しかった「宇宙事業部」という文字を見て同社を選んだ社員たちだったが、宇宙に関する知識や情熱を十分に活かせる場所がなかった。

しかし、彼らはその小さな仕事でも、誠実にこなしていたのである。

「期待を持たせたのに、活躍をさせてあげられなかった」

「せっかくの能力を高める機会を与えることができていなかった」

池田は反省した。そして、こうも思った。

「宇宙事業のために入った人たちを、絶対にうちの会社で活かしてあげなきゃいけない」

またも自責の念と、使命感に襲われた。と同時に、再び池田に運が回ってきた。

二〇〇三年、日本は国家事業として宇宙開発を強化するため、いくつかの宇宙開発機関を統合し、ＪＡＸＡを設立。その直後の「はやぶさ」プロジェクトが長きにわたったこと、歴史に残る偉業として成功をおさめたことは先述したとおりだ。

このプロジェクトに参画していたアイネットの宇宙事業部は、実に二十年以上も小さな仕事で耐え忍び、ようやく日の目を浴びることになった。

こうして地道な仕事を腐らずに、誠意をもってやり遂げ続けてきたことで、国を挙げてのビッグプロジェクトに参画、素晴らしい成果を出すことができたのだ。

アイネットは日本でも珍しい「宇宙事業に長期的に携わってきた企業」として、一段と注目を浴びている。現在、国際宇宙ステーション、次期小惑星探査機、月探査機、地球観測衛星、X線観測衛星、赤外線天文衛星、海外衛星などのプロジェクトに参画しているほか、東京理科大や東京工業大学初のベンチャー企業と業務提携し、さらなる事業の拡大を進めている。

短期的な収益だけを考えていたら、今のアイネットに宇宙事業部はないだろう。

「いつかは社員を活躍させたい」

夢をあきらめさせたくなかった池田の思いと、どんなときでもあきらめず、誠意ある仕事を続けてきた社員たち。

四十年前に蒔いた小さな種が、今、宇宙で大きな花を咲かせている。

目の前にある仕事を誰よりも磨き上げる

千葉県君津市。ここに東京ドーム三つ分の大きな敷地がある。アイネットが運営するドローン飛行場「Ｄｒｅａｍ Ｄｒｏｎｅ Ｆｌｙｉｎｇ Ｆｉｅｌｄ」だ。

もともと軍事用に開発されたドローンだが、世界に先駆けて、日本では産業用無人航空機の活用がおこなわれていた。一九八七年、ヤマハ発動機が産業用無人ヘリコプターを開発。一九八八年に農薬散布用に商用が開始された。農林水産省の発表によると、二〇一九年時点で、日本の水稲への農薬散布のうち、実に九六％がこれら無人航空機によるものだという。

二〇一〇年フランスのＰａｒｒｏｔ社によって、ＧＰＳが搭載され、自律飛行が可能な空撮用ドローン「ＡＲ．Ｄｒｏｎｅ」が開発・販売されると、商用ドローンの認知度は急速に高まった。この技術により操縦者の高度な技術をもたなくても複雑な地形や狭い土地などの飛行ができるようになった。

二〇一六年には三五三億円だった国内市場も、二〇一九年度には一四五〇億円と成長し、二〇二四年度においては五〇七三億円にも上ると予測されている。

アイネットがドローンＩｏＴプラットフォーム事業へ参入したのは二〇一六年。翌二〇一七年にはドローン飛行場を開設し、さらに二〇一八年には、これらの事業を本格化。同飛行場の所在地である千葉県君津市と災害連携協定を締結、猿の生体育成調査などを実施してきた。二〇一九年には君津市、ドローンの操縦技術を学ぶ「Dアカデミー」との三社による「無人航空機による橋梁点検の実証実験に関する覚書」を締結した。

さらに同年、アイネット本社所在地である横浜市より観光プロモーション映像制作を受託。ドローン事業の拡大をおこなっている。

これも、アイネットが長年のデータセンター運営とビッグデータの処理運用に長けたITプラットフォーマーであるからこそ可能になったものである。

池田は創業時より、目の前にある仕事を誰よりも磨き上げることで、そこに軸足を置きながらも守備範囲を広げていくという経営の基本を大切にしている。

このぶれない軸こそが、未来へ飛躍するための原動力となっているのである。

「原点」を決して忘れない

百年を越える老舗企業にその秘訣を問うと、「伝統と革新」という言葉が返ってくると先述した。近年は「革新」の部分がフォーカスされがちだが、彼らが大胆に革新を続けられるのも「伝統」というゆるぎない軸があるからこそである。

創業五十年を迎えたアイネットもまた、自社の伝統的事業にしっかりと軸足を置き、どんなに新規ビジネスが軌道に乗ろうとも、その基盤を守ることを大切にしてきた。

池田は数年に一度はかならず「原点回帰」という言葉を社員に投げかけている。

アイネットにとっての原点、つまり創業の源と言えば、ガソリンスタンド向けの情報処理サービスである。

街を歩けばわかるように、近年、ガソリンスタンドの数は減り続けている。創業した当時に花開いていたモータリゼーションの波は、完全に引き潮だ。

若者は、車を買うことを夢としなくなった。生まれ落ちた瞬間から、潤沢なモノに囲まれていた彼らは、所有することよりも、体験することを重要視する。さらに、日本経済の長引く停滞は、自動車を維持するために費用を割く金銭的余裕を若者から奪った。少子高齢化は、予測をはるかに超えるスピードで進み、自動車産業、とくに日本国内における石油産業は縮小を余儀なくされている。

それでもなお、アイネットのガソリンスタンド向け事業（SS本部）は、堅調な業績を上げ続けている。約三三％という業界シェアトップの契約数。さらに、石油元売り五社のうち、四社から計算処理代行の指定を受けている。石油業界不況のさなかに、抜群の安定感を維持している秘訣を、池田はこう語る。

「一店舗のガソリンスタンドも、何十店もガソリンスタンドを経営する企業にも、そして大手元売りに対しても、一対一の姿勢で対応していること」

一人で飛び込み営業に行った自身の「原点」を、決して忘れず、社員にも徹底させることで、顧客からの圧倒的な支持を得ている。同事業部の売上の八割は既存顧客、残る二割の新規顧客も、ほとんどが既存顧客からの紹介だ。

もちろん「顧客対応の良さ」だけではこれだけの信頼感は得られない。常にシステムの質を向上させ、そのための投資も惜しむことなくおこなってきた。

もう一つ、池田が創業から考えていることがある。

「特化は汎用に繋がる」

ガソリンスタンドというニッチな市場で長年培ってきたノウハウは、今や同社の情報処理サービスの土台となって、幅広い業界に対応している。情報サービス部門の強さは、徹底的に顧客満足を追求し、その技術向上をとことん突き詰めることを辞めなかったからこそ得たものだ。現在でも売上のおよそ四〇%が創業コンテンツである情報処理サービス部門が占めている。

どんな分野でも、専門分野の高みに上った先人たちが、哲学者のような物言いをすることがある。人は、突き詰めると真理を得るものなのだ。

人こそすべて――逸材を活かす

アイネットに入社する新卒社員は、年々増加し、二〇二〇年度は約七十人が入社した。もちろん、創業当時から新卒が採れたわけではない。初めての新卒採用は創業から十年目。十二人の新人が当時のフジコンサルトに入社した。

たいてい、小さな企業の採用は、中途採用がベースになるが、中途採用者というのは、一癖も二癖もあるというケースがままある。

「私よりも、ずっと営業に長けているのがいてね」

懐かしそうに、話し始めた。

創立から二年目、池田が出入りしていたガソリンスタンドに、その男もまた、商品を納入する会社の営業マンとして出入りし、二人は知り合った。ひょんなことで、池田はその男、岡本秀昭に声を掛けた。

「うちの会社に来ないか」

なにか互いに感じるものがあったのだろう。彼は迷うことなく、フジコンサルトに入社する。

創業二年目の、名もなき零細企業にである。

池田は外資のモービル石油で、敏腕営業マンとして評価の高かった男だが、その池田をも「敵わない」と言わしめるほどの営業力だった。

「彼がいなかったら、今のSS本部の基盤は築けなかったんじゃないかな」

彼が切り込み隊長として、ガソリンスタンドや石油元売りに営業をかける。そして成約したのちは、池田の出番だった。盤石な信頼関係を気づき、優良顧客へと育てていくのである。

まさに創業期は、二人の二人三脚であった。

「社長、そこ違うんじゃないですか」

歯に衣を着せぬ物言いで、社長である池田をも言い負かした。

「生意気だったけど、いい男だった。愛社精神も、誰にも負けていなかった」

伝説の営業マンは、その後、常務取締役まで勤め上げて退任した。

＊

一九八四年。この年の冬は全国的に寒かったという。昭和五十九年という年をもじって、「五九豪雪」と呼ばれた歴史的な豪雪に見舞われていた。

横浜の二月も例外なく、例年よりも寒い冬のただなかにあった。

創業から十四年。従業員はすでに七十名を超えていたが、池田は日々トップセールスに出かけていた。その日も分厚いコートに身を包み、営業に出ていた。

冬の夕暮れ。寒さに震えながら足早に会社の前まで来ると、一人の学生が立っていた。

「すみません、ここの会社の方ですか」

一七五センチの池田よりもさらに長身の彼が、おもむろに尋ねる。

「ああ、そうだよ。僕はここで社長をしている」

池田が答えると、ぱっと、彼の顔が明るくなった。

「あの、御社を受けにきたんです。入社させてもらえませんか」

就職活動の時期はとっくに過ぎている。アポイントすらなかった。あまりの唐突さに驚いたが、学生を見て、なぜか話を聞いてやろうと思えた。

目が澄んでいる。素直で、きっといいやつに違いない。池田は確信した。

「君は背が高いね。よし、合格」

自分の学生の頃を見ているかのような、懐かしさを覚えた。愛嬌があって、やんちゃそうな印象を与える彼を、とても他人には思えなかった。

「茶目っ気たっぷりの澄んだ目をした学生」の名は、佐伯友道。現在、常務取締役としてSS本部、DC本部とITMS本部を統括している。

佐伯は入社七年目の一九九一年、たった四名からスタートした「第二営業部フォームプロセス課」に発足メンバーとして配属された。のちの「メーリングサービス事業部」の前身である。

「発足当時は、数万通の郵便物を台車に乗せ、郵便局まで徒歩二十分かけて局出しをしたり、雨の日は毛布で郵便物をくるみ、時には歩道の段差で立ち往生しているところを通行人に助けていただいたり……という日々でした」

『あいねっとニュース』三一号（二〇一二年）には、当時を振り返る佐伯の言葉が掲載されている。

アイネットが誇る「ワンストップサービス」を実現し、進化を遂げて、アイネットになくてはならない基幹ビジネスに育て上げた。佐伯が入社して十三年後の一九九七年。第一データセンターが竣工されると、池田はメーリングサービス事業部を大々的に立ち上げることにした。これまで佐伯を筆頭に創り上げてきた部署が、さらに花開く場を、池田はずっと欲しいと思っていたのだった。

「佐伯君があそこまで育ててくれていたから、データセンターを作るときも躊躇うことはなかった」

その期待に応えるように、二〇〇一年のM&Aによって業績回復に苦しんだ時期も、佐伯が陣頭指揮を執るメーリングサービス事業部は、堅調な利益を上げ続け、アイネット全体の業績回復に大きく貢献した。

池田は、いつも「人」を軸に経営を考えている。

連結で社員数一七〇〇名を超え、東証一部上場企業。IT業界のパイオニアにして、リーディングカンパニー。このような「外見」だけを見れば、アイネットがここまでハートウォーミングな企業とは思わないかもしれない。

しかし、二〇一九年度新入社員たちも、口々にこう明かす。

「アイネットを選んだ理由は、人の温かさ」


友人は君について、君の知人が千年かかって知るよりはるかに多くのことを、出会いの一分間で知るだろう

（リチャード・バック著『イリュージョン』集英社／村上龍訳）

池田は社員にとって偉大な創業者である、けれども彼は、社員にとっての知人ではなく、友人であろうとする。ともに同じ船に乗る、大切な仲間たちだ。

だからこそ、一瞬の出会いも見逃さない。人を見るうえで大切なものが何か、わかっているのだろう。

＊

もう一人、アイネットの歴史に欠かせない有能な「キレ者」がいた。クラウドビジネスやドローンなど、新しい時代を読み、次々とアイネットのビジネスコンテンツに昇華させた立役者である。

「彼がいたからこそ、わが社は独立系のリーディングカンパニーとなっている」

池田も唸る。その男とは、前副社長の田口 勉である。もともと優秀な田口は、アイネットに入社するまで、さまざまな企業で活躍してきた。しかし、その類まれなる才能を、どの会社も今一つ活かしきれていなかったようだ。

そして、アイネットの門を叩いた。

池田は田口の才能をもっと開花させたいと思っていた。彼以上の頭脳を持った人は社内ではほかにいない。そう確信していた。

部下である田口の功績を認めたくないという幹部もいて、ときおり社内でも小競り合いがあった。そのような多少の波をものともせず、田口は次々と新しいコンテンツを作り、軌道に乗せてきた。

その田口も、専務、副社長を歴任し、二〇一九年十二月に退職。田口が育て上げた事業は、今後さらに、アイネットを支える事業となっていくだろう。

「人一人は万能ではないからこそ、優秀な人の、良いところを引き出すことで、一緒に会社を育ててきた」

人の才能を活かすも殺すも、上司次第である。上司が部下の功績を認めることで、優秀な部下を増やすことが、もっとも大切な上司としての仕事だ。

その大切な仕事は、創業者会長となった今でも池田に求められている。

学び続けることこそが自己や自社の成長を助ける

アイネットに入社すると、六ヶ月研修期間がある。この間、実にさまざまな研修をおこなっている。

マナー研修から始まり、営業研修やＩＴ技術研修。新入社員同士の絆を深め、忍耐力や達成感を得る自衛隊での宿泊研修、先輩社員たちを新入社員がもてなす新人主催のバーベキュー研修といったものまで多彩である。

「三分間スピーチ」では、毎日、新聞からトピックを選び、内容だけでなく、それに対する自身の考えなどもプレゼンテーションする。

「最初は緊張して話せなかったのが、今は話し方よりも話す内容や、どう構築していくかという部分まで考えられるようになりました。たった三ヶ月ですが、成長を感じています」

『こんな会社で働きたい 神奈川編』に寄せられた入社三ヶ月目の社員の言葉だ。

研修の締めくくりは、新規ビジネスを提案する成果発表会。半年かけて、学生から社会人へと、そしてアイネットの一員として成長してゆくのである。

四ヶ月かけてすべての部署を体験するＯＪＴ研修も、アイネットならではといえる。こうした長い研修期間と多様なプログラムで、配属先と適性のミスマッチを防止することが可能になった。同社の入社三年以上の離職率は四・九％。人材の流動化が激しいＩＴ業界において、これほど定着率が高い企業も珍しい。

新入社員たちは、研修の記録を撮影し、最後にＤＶＤを作成するという一年目最後の大仕事が待っている。ＤＶＤを作成する目的は三つある。一つは、新入社員自身の成長の記録のため。もう一つは、映像作成の実践を体験するため。

もっとも重要な目的は、社員を社会人になるまで育ててくれた親に、安心してもらうためである。このＤＶＤは新人たちの親の元にも届けられる。大切に送り出したわが子たちが、こうして楽しみながら自己成長を遂げてゆく姿は、微笑ましくもあり、頼もしくも感じるだろう。

池田が願う「わが子にこの業界で働いてもらいたい」と親に思ってもらえるような環境づくり

を、しっかりと実現している。

研修制度は、新人だけの専売特許ではない。四年目研修や、課長職研修、部長研修を始め、自ら手を挙げた、部門、職種、年齢を超えた意欲あるメンバー向けの「アイネット・カレッジ」や、スキルアップ研修、ビジネス英語研修などの実に多彩なプログラムを用意。

学び続けることこそが、自己や自社の成長を助け、めまぐるしく進歩するこの業界に寄与し、社会に貢献できるということを肌で実感してほしいと願っている。

人材育成への投資は、すべて「人こそ宝」という精神によるものである。

「地域」への感謝を欠かさない

池田が、創業時から事業以外のことで大切にしていることがある。「地域貢献」だ。近隣のゴミ拾いはもちろん、神奈川フィルハーモニーへの寄付、地域の祭りへの協賛、参加。零細企業だった五十年前から、地域への感謝を欠かさなかった。

池田にとって、横浜は創業の地というだけではない。初めて社会人スタートを切った、第二の故郷のようなものなのである。

「三日住めばハマっ子」という言葉があるように、港があり外に開かれた横浜は、昔から新しい人やモノを受け入れ、それを自分たちの文化として昇華させてきた。池田もその恩恵を受けた一人だという自覚がある。裸一貫で飛び込んだ自分を受け入れてくれたこの地に、いつか頼られる存在になりたいと、ずっと願ってきた。

「最初は誰にも相手にされなかったし、売名のためじゃないかと思われた時期もあったと思いますよ。でも、周囲がどう思おうと地域貢献は続けようと思ってやってきました。そうしたら、二十年を過ぎたあたりから、ようやく理解してくれる人たちが増えてきたんですよ」

まさに継続は力なり、である。

「企業の究極の役割は、社会貢献じゃないかと思っているんです。今、盛んにＳＤＧｓ（持続可能な開発目標）とか、ＥＳＧ（環境・社会・企業統治への取り組み）という言葉が流行っているけど、うちは、こういう言葉がなかった創業当時から、これらを意識して経営しています」

二つのデータセンターは環境マネジメントシステム認証（ＩＳＯ１４００１）を取得。第二データセンターは、エネルギー監視システムによる省力化や、サーバーから出る熱を効率的に逃がす設計にするなど、循環型社会に向けた設備を備えている。社会インフラの一つとしての責務を全うするために欠かせない配慮だ。

池田個人としては、二〇一九年三月に「一般財団法人 ＮＰＯ法人等支援池田財団」を設立した（二〇二〇年一月より公益財団法人 アイネット地域振興財団）。

設立趣旨にはこう書いてある。

子ども・青少年の健全な育成、教育・スポーツ等を通じた心身の健全な発展、公衆衛生の向上、環境保全・整備、地域社会の健全な発展に関する活動を行う団体等を支援、助成すること

財団の設立も、多忙の中にあっても母校への講演を継続するのも、こうした「青少年の育成」こそが、自らの使命だと認識しているからだろう。

日本の少子高齢化は、世界に類を見ないほどの早さで進んでいる。その少ない「社会の宝」を、大切に育てていくのは、大人世代が担う、最後の大仕事だ。

江戸末期から明治初期にかけて、多くの「お雇い外国人」が来日した。彼らが残した手記をまとめた『逝きし世の面影』（渡辺京二著）には、「日本ほど、子どもを大切にする国はない」と驚く外国人たちの言葉がつづられている。

彼らが「日本は子どもたちの楽園」と感動し、「日本の未来は明るい」をその将来の展望を描いた日本になるのは、まだまだ遠い未来のようでもある。しかしその努力は重ねなければならない。

池田の挑戦は、まだ続いている。

誰もが輝ける会社に——ダイバーシティー

地域貢献でもあり、ダイバーシティーの実現への施策の一つでもあるのが、アイネットが持つ、特例子会社の存在である。二〇〇九年に設立されたアイネット・データサービスは、障がい者雇用の機会を増やすことを目的としている。

ＩＴ化が進むこの時代だからこそ、「紙ベース」の情報をデータ化するために、人の手が必要な仕事も発生してくる。かつて、フジコンサルト時代にはデータ入力を専門におこなう「キーパンチ部」という部隊があったが、その業務は現在、このアイネット・データサービスに受け継がれている。

そのほか、部材の組み立て・封かん・発送までの一連の作業をおこなう「キッティング」、名刺の作成・印刷など、アイネット本体で培ったノウハウを活かし、重要な業務の一つとして同社が担っているのである。

アイネットがほかと一線を画すのは、ここで働く障がい者たちは、全員「正社員」である、ということ。特例子会社は、一般に短期の雇用契約であることが多いが、それでは真の自立へのサポートにならないと考えているのだ。

契約切れなどの不安がなく、安心して働けることで、社員の集中力やモチベーションが上がり、アイネットの戦力として活躍している。障がい者のわが子が、誇りを持って自立する姿ほど、親にとってうれしいことはないだろう。障がい者雇用は、その家族にとっても救いになる。そしてその労働力はアイネットの一員として、立派に役割を果たしている。経済的な自立から、自己成長へ、そして自ら考え行動におこす「自律」へ。

誰もがそれぞれに持つ能力と可能性を引き出し、社会に貢献できることを実感してもらいたい。障がい者の真の「自律」をサポートする取り組みも、はや十年を越えた。

もう一つのダイバーシティーと言えば、女性活躍である。

政府は二〇一六年、「女性活躍推進法」を施行し、女性の積極的活用を企業にも求めた。しかしながら、女性は、結婚、妊娠、出産、育児とライフサイクルの変化が激しく、多くの女性はどうしても企業活動から外れる時期がある。

企業側の覚悟と万全なしくみ、そして現場の理解がなければ、このようなライフサイクルの変化の激しい女性が、常に安心して仕事ができる環境を作ることは難しい。なかなかに体力を使う取り組みなのである。

ＩＴ業界は男性優位のイメージがあるが、アイネットの二〇一〇年以降の新卒採用者女性比率は概ね四〇％で推移している。

二〇一四年、女性のキャリアをサポートするため、「女性委員会」を設立した。

翌二〇一五年を、アイネットは「女性活躍元年」と名付けている。以後、女性社員が妊娠出産を経て、育児をしながら復職できるためのサポートや、女性のキャリア形成について学ぶためのフォーラムの開催などをおこなってきた。

アイネットの取り組みは、以前から高い評価を得ている。

二〇〇八年には従業員のための子ども・子育て支援を制度化している事業者の証「かながわ子育て応援団」、二〇一二年には国が定めた「次世代育成支援対策推進法」に基づいて、男性の育児休暇取得実績などを含む子育てサポートをおこなっている企業（「くるみん」）、二〇一五年には「かながわ女性の活躍応援団」の団員に任命。二〇一九年には「女性活躍推進法」に基づいて会社経営をおこなっていることを認定する「えるぼし」を厚生労働省より認定され、最高位を取得。

アイネットの「常に時代の先を」という姿勢は、細部に行き届いている。

誰もが、将来に不安を抱くことなく、安心して仕事ができる環境を整えることは、企業にとっても大きな原動力となる。

二〇一七年からは、「ジョブリターン」制度を開始。現在、産休育休後の復職率は一〇〇％だというから驚きだ。

横浜市が発信するオープンデータを活用した、〇歳児から未就学児を持つパパママを支援するための横浜市保育施設検索サイト「働くママ応援し隊」は、アイネットのワーキングマザー社員たちの発案によるものだという。

二〇一八年、こうした取り組みをさらに強化すべく「ダイバーシティー推進室」を設置し、二〇一九年には「女性委員会」の名称を「ダイバーシティー委員会」に改称。多様な人たちが働きやすい会社づくりに、日々進歩を続けている。

健全な心身こそ、人生の宝

少子高齢化が急速に進む日本において、とくに問題になるのが、六十五歳以下の人口減少だ。国立社会保障・人口問題研究所の推計によれば、生産年齢と言われる十五歳から六十四歳の人口は、二〇六五年にはピーク（一九九五年八七二六万人）の半分以下である四一四七万人にまで減少するとしている。一九七四年には二〇〇万人を超えた出生数も、二〇一五年には一〇一万人まで減少した。政府予測よりも速いスピードである。

ここまで少子高齢化が進んだ理由はいくつもあるだろうが、就職氷河期、いわゆるロスジェネ世代が安定した職に就けないことで、結婚、出産ができなかったということも一つの要因だろう。さらに、現役世代は、自らの健康を顧みずに仕事に猛進することもある。四十代前後の突然死の理由は、この問題と無関係でもないらしい。セクハラ・パワハラによるメンタル面での疲弊によって、やむなく職を辞したり、休職したりするといったケースも増えている。

第二次安倍内閣が発表した「日本再興戦略 改訂 二〇一四―未来への挑戦―」において、働く人の健康確保やワークライフバランスに言及。もはや仕事をしていくうえでの心身の健康管理は、個人に任せるのではなく、企業が率先しておこなうべき課題であり、ひいてはそれが日本を再興させるために欠かせない要素となっている。

もとより、池田は「社員の幸せ」という土台があってこそ、「エクセレントカンパニー」であると考えているが、一七〇〇人もの社員を抱える今となっては、しっかりと社員や関係先に、その理念を伝えていかなければならない。

アイネットは、社員が経営における最大の財産であるという理念のもと、社員の健康づくりを経営的な視点で捉え、社員が心身ともに健康であることこそが、持続的な企業価値向上の源泉であると考え、社員の健康増進を支援する健康経営を積極的に推進いたします

アイネットの「健康経営宣言」である。

国の認証制度「健康経営優良法人ホワイト500」、横浜市の認証制度「横浜健康経営認証」などの認証を受け、その実行力もお墨付きだ。

心のケアも欠かさない。社員たちの抱える問題を掘り起し、気持ちよく働ける環境づくりに役立てている。

独自の社内システムに「ERシステム」というものがある。Employee Relationsの略だが、オリジナルでeラーニングやアンケートを作れるシステムだ。たとえば、専門的な業務知識を新入社員や転属社員に学んでもらいたいとき、仕事への満足度などを部署独自で把握したいとき、あるいは、新しい商品開発時の社内における意見の吸い上げなど、その活用範囲は多様である。

ＩＴ企業としての得意分野を、社内においても存分に活用している。

父母《ふぼ》は唯其《ただそ》の疾《やまい》を之《これ》憂《うれ》う

親というものは、子どもの病気がもっとも心配なことである。だから体に留意して健康でいることこそが、親孝行というものだ。

池田の愛読書である『論語』では、親孝行について師（子）に問うた弟子に向かって、孔子がこう答えている。社員の健康を守ることは、社員の両親への親孝行でもある。親孝行せよと社員だけに委ねるのではなく、家族同様である社員の親もまた、自身の親と同じように慮《おもんぱか》る。

経営には、真実がなければいけない。そして何より、愛がなければいけない。「制度」という、一見、無機質な言葉の中にも、池田の信念は通底している。

第6章

あらゆることに感謝する思考が成功を引き寄せる

池田は創業から現在にいたるまで、社員に伝え続けている言葉がある。黎明期であろうと、成長期であろうと、上場企業として、確固たる地位を築き上げたあとであろうと、そのメッセージは、愚直なほどに変わらない。

なぜ、何も持たない営業一筋の男が、上場企業を育て上げるまでになったのか。

なぜ、幾多の苦難があっても、彼はいつも幸せそうな顔をしているのだろうか。

そのヒントは、池田のこれまでの歩みと、社員に伝え続けている言葉を見れば、見えてくるだろう。

（1）3K——感謝、継続、健康

先祖を敬い、すべてに感謝する

「ぜひ、見せたいところがあるんですよ。私にとって、とても大切な場所なんです」

ある日、アイネットを訪れると、取材の最後にこう語りかけられた。見せたいものとは、池田が毎日執務に励んでいる、会長室にあるという。

みなとみらいの街にそびえ立つ、アイネット本社の入る三菱重工横浜ビル。すらりとした立ち姿の美しいこのビルの二十三階。窓を見ると、横浜の街が一望できる。

池田の執務室に案内される。すべてが整然と整えられ、清々しい空気に満ちている。

「これなんです」

池田が視線を向けた先には、ガラス扉の書架の中に、今は亡き両親の写真が飾られ、水が添えられていた。

「会社に来ると、まずこの水を替えることから始めます。そうしないと落ち着かないというか、もう習慣ですね」

よく見れば、十円玉、百円、五百円がきれいに並べられている。

「お賽銭、みたいなものですか？」

「このじゃり銭に手を合わせるんです。六人兄弟の僕らを食べさせることに精いっぱいだった両親が、向こうの世界で『買い食い』できますように、ってね」

池田は、いつも「感謝」という言葉を口にする。出会いに感謝、お客様に感謝、あのときの世界状況の変化に感謝、社員に感謝、神に感謝。感謝、感謝……。

その感謝の源は、ここだったのである。両親と、先祖。池田典義という人を生み育てた両親、そのまた両親、さらに前の両親……。もしも、誰か一人でも欠けていたら、池田はこの世に生まれなかったことになる。それはどの人も同じだ。

以前、奈良の寺の住職から、こんな話を聞いたことがある。

「俗に、『先祖』や『子孫』という言葉がありますが、自分を軸にしたときに、見えない前の人たちを『先祖』と言い、まだ見ぬ若い世代を『子孫』と言います。

自分からは見えない場所にいる人たちである先祖に感謝をし、子孫の未来を願うというのが、大切なことなのです。自分から見える範囲の人たちは、『自分事』になります。先祖や子孫を思う気持ちが、公の気持ちとなっていき、『忘己利他』の精神と繋がっていくのですよ。いつもでなくてもいいのです。こういう場所に来た時だけでも、すべての先祖に感謝をし、公の幸せを願う人になってください」

ずいぶん前のことだったから、一語一句は覚えていないが、概ねこのような内容だったと記憶している。なるほどと、膝を打ったことを覚えている。

同時に、身近な人に感謝をしてこそ、この住職の言ったことが理解できるのではとも感じた。親に感謝せず、子どもに愛情を持てない人が、他者を思いやることは難しい。

「先祖を敬うとか、畏敬の念を持つとかね。古いと言う人がいるかもしれないし、考えたこともないと言う人もいると思うけど、私は結局、感謝というのは、そこに尽きると思うんです」

あきらめない強さを持つ——継続の力

池田は新入社員を迎えるとき、必ずと言っていいほど、「あきらめるな」というメッセージを発信する。池田が生まれてから現在にいたるまで、「あきらめなかった」ことがいくつあったろうか。

「君の成績じゃあ、トップ高校には入れないよ」

そう担任教師に言われても、あきらめずに奮起し入学を果たし、貧乏から抜け出すことをあきらめなかった。小遣いがなければ自分の知恵と努力で稼いできた。

「推薦状なんて書いてやらん」

担当教授にこう突っぱねられても、外資企業に入るため、何度も拝み倒して教授からの推薦状を取り付けた。晴れて入った会社でおきた「ミス」によって（今の価値にして）八千万円の借金を抱える事態になっても、投げ出さずに起業した。

二度にわたる大型のM&A、社内の混乱、不採算事業の立て直し。

「ぜったいにあきらめない」という強い気持ちがなければ、到底乗り越えられなかった波を、こうして乗り越えて今にいたっている。

そして、創業から、石油業界に軸足を置き続けているのもまた、継続の力によるものだろう。日本は今、ガソリンスタンドが激減しているが、アイネットはそれでもなお、堅調な利益を上げ続けている。長年培ったノウハウへの信頼があるからこそ、パイが減ってもシェアを拡大できている。そして特化したからこそ、広くシステムを汎用化できる。「特化は汎用に繋がる」という池田の言葉は、あきらめず、継続することと、一対になっている。

二十年間、補助的な仕事ばかりを請け負ってきた宇宙事業も、あきらめなかったからこそ、「チーム日本」の一員としての存在感を放っている。

あきらめるのは、簡単だ。だが、その先に「もっといいもの」を探すのはとてつもなく難しい。そして何より、簡単にあきらめる癖がついた人間が、何かを成し遂げることは、さらに難しい。

大学で講義をする際、池田は若者にいつも強く、優しく語りかける。

「夢を持ち続けよう。あきらめなければ、君たちは、何にでもなれるんだから」

若者だけではない。池田は、詩人サムエル・ウルマンの詩「青春」が大のお気に入りだ。少し長いが、引用する。

青春とは、人生のある期間を言うのではなく、心の様相を言うのだ
優れた想像力、たくましい意志、燃える情熱、恐怖をしりぞける勇猛心、安易を
切り捨てる冒険心
こういう様相を青春というのだ
人は信念とともに若く、疑惑とともに老ゆる
人は自信とともに若く、恐怖とともに老ゆる
希望ある限り若く、失望とともに老い朽ちる

心身の健康を願う

池田は、高校時代は水泳、大学は登山で心身を鍛えた。いや、体を鍛える過程で、心が大きく鍛えられた、と言った方がいいのかもしれない。

池田は社員に肉体を鍛えろ、とは言わない。しかし、幸せであるために、心身ともに健康であってほしいという願いは持っている。

「健全な精神は健全な肉体に宿る」という言葉は、古代ローマ時代の詩人ユウェナーリスが残した言葉を、後世の人間が誤解釈したものである。

ユウェナーリスは、著書『サトゥラェ　諷刺詩』において「(神に願うならば、大きな欲を願わずに）健全なる肉体に、健全なる精神が宿るようにと希《ねが》うべきである」と、地位や名誉、金銭欲などに目がくらむ人間の欲深さを批判したのだ。

ユウェナーリスも願ったように、心身が健康であるということ自体が、神のご加護といえる。体が丈夫であっても、心が疲弊すれば、いずれ体にも影響が出てくるだろう。逆に、病やけがで体が蝕まれてしまえば、心の平静や向上心を維持することはとても難しい。

パラリンピックの感動が、オリンピックの感動と趣を異にするのは、普通の人間であればけがの一つでも愚痴を言いたくなるところを、高い向上心を失わず、生き生きと競技に立ち向かう勇気を見て、そこに人間の崇高さを見るからだろう。

もともと生まれ持った体の強さや体格は、個人の努力では変えられないこともある。しかし、今そこにいるという状況すべてに感謝をすることで、自身の心と体をさらに大切にしようという思いにいたる。

そして何より、どんな苦境にも耐えられる心を鍛えることは、日々の努力の中でできることだと知ることが大切だろう。池田のように、若き頃のスポーツでもいいし、楽器や学問を習得する上での鍛錬でもいい。

目標を持って突き進むために、土台をしっかりと整えることができる人は、幸せである。

ユウェナーリスは「健全なる肉体に……」から始まる有名な言葉に続いて、こう締めくくる。

まことに美徳を通じてのみ、平静なる人生の路は開けている

（2）3C（Challenge　Change　Catch the Chance）

挑戦する心を忘れない――Challenge

本来、すべての人は挑戦者である。人間がおぎゃあと生まれてから、「できない」と思って挑戦しなかったら、赤ん坊は歩くようになるだろうか。母親に自分の意思を伝えたいと、モゴモゴ言いながらも意思の疎通を図ろうとしなかったら、話せるようになるだろうか。

それは成長の過程で、当たり前だと多くの人は笑うだろう。しかし、それを笑わない人が、いくつになっても成長を続け、やがて大きな成果を得たり、自分の人生を楽しめる人になるのである。

池田が、前述したサムエル・ウルマンの詩「青春」を好むのは、そこに共感し、実践しているからだ。

青春とは、挑戦する気持ちがあればいつまでも青春なのである。ウルマンに言わせれば、疑惑と、恐怖、そして失望は人を老い朽ちさせる。

これらの気持ちが、多くの大人を「挑戦」から引き離している。

挑戦する心を持ち続けるために、池田は「素直な心」が必要だと説く。

「構えるな」。これは池田が新入社員や大学生に、かならず伝える言葉である。

「そんなことは知っている」という態度で人や出来事に接しても、何も学ぶことはできない。知らないことを知らないという勇気。新しいことを学びとろうとする謙虚さ。こうした素直さが、人を伸ばすもっとも大切な心得だという。目の前の出来事を否定せず、失敗を恐れずに何度もやってみる。失敗は、それを直せば成功するかもしれないという、大きなヒントでもある。

「誇りというのも大事だけどね、それが埃になるくらいなら、なくていいんですよ。まずは覆っている鎧を捨てて、素の自分をさらけ出す勇気。そうやって一つひとつの出来事や、一期一会の出会いと向き合えば、人は必ず成長します」

そうして成長し続ける人間に、神は「強運」というプレゼントを用意している。

変化を恐れない――Change

君はどこで生まれ、どこで育ち、どこで何をしようとしているのか
これらの答えは、君達自身とともに常に変化しているはずである
（リチャード・バック著『イリュージョン』集英社／村上龍訳）

人は、変化を恐れる生き物である。所有するものが多ければ多いほど、手離すことを恐れ、安定した地位にあればあるほど、そこから離れることを恐れる。

桜の花びらが川に落ちる。途中にある岩に辿り着いた花びらは、これで安心、と、その岩にしがみつく。一方で、川に身を任せて流れる花筏《はないかだ》となった花びらは、長い旅を経て、気がつけば大海原に到達している。

しかしその花びらは、単に身を任せただけだろうか。雨に打たれて沈んだ花びらもあったろう。大海原へ辿り着くことができるのは、流れにうまく乗った花びらだけなのだ。

人や会社もまた、川の岩にしがみついてはいけないときがある。アイネットにも、幾度かの変革の時期があった。そして大きな変革だけでなく、未来がより良くなるように、日々のブラッシュアップを欠かさない。

大きな変革とは、二度の合併だろう。大きな括りではＩＴ業界という同じ業界にありながらも、得意分野を異にする企業である。それは大きな痛みも伴ったし、数字を建て直すのに十年もの月日を費やした。それでもなお、それらがあったからこそ、今のアイネットがあるということを、池田は決して忘れない。痛みを克服した経験は、何物にも代えがたい武器になる。

イノベーションの連続であったことは、この会社の歴史が物語っている。ガソリンスタンドの事務作業の煩雑さを変えようと代行サービスを始めた当初、人が手入力でおこなうパンチ入力であった。そこからさらに効率や正確性を求め、ＰＯＳの開発にいたる。

媒体を客先より回収していたアナログの回収方法も、伝送端末の開発により、スピードアップや人的ミスを減らすことに貢献した。

リライト式の会員カードの戦力化により、消費者の利用動向が情報化され、今やマーケティング手法の基本となっている。

当時は言葉こそなかったが、クラウド時代の到来をいち早くキャッチしてデータセンターを作り、独立系では稀有なファブレスの時代の先駆者となり、次々と新しい施策を生み出している。新興産業であるＩＴ業界の中では創業五十年というパイオニアであり、今でもリーディングカンパニーであり続けているのだ。

こうした進歩を遂げてきたのは、時代の少し先を読み、顧客の不便を解決するために考え抜いたからである。それを昔の人は「必要は発明の母」と言った。

社員にも、常にブラッシュアップを欠かさぬよう求めている。企業は人なりであるからこそ、そこにいる社員が自己成長を止めてはいけない。もちろん、それは会社のためだけではない。好きなことを楽しみ、悔いのない人生を送るために、変化を楽しむ人になってほしい。

池田の願いである。

「運」は自ずとついてくる――Catch the Chance

池田に言わせれば、これらのことをすべてできれば、運は自ずとついてくる、という。

これまで、どんなに荒波があっても乗り越え、逆にその波に乗ることさえできたのは、すべて

「運がよかったから」だとも。しかしやはり、その運をつかむには、ちょっとしたコツがいるのだと思う。

池田は目の前の情報を常に自分にとってのプラスの情報に変換してきた。ドラえもんがいたら、池田を指して「自動ポジティブ変換機」とでも名前を付けただろう。

中学の先生からの「このままじゃ、トップ校に行けない」という情報を、父を介して知ったとき。凹むことなく、腐ることもなく、あきらめることもなかった。

「できないなら、できるようにしよう」

前向きな情報として変換したのである。

八千万円という大きな借金となることがわかっていたにも拘らず、独立を決心したときもそうである。八千万円という資金はなくても、池田はそれを借金とは捉えない。これからビジネスを興すうえでの投資と捉え、とにかく邁進するのである。悩んでいる暇はなかった。目の前の出来事は、すべてチャンス。そうやって自分を信じることで、事実、チャンスに変えてきた。

とくに、頼まれたときはチャンス、とも思っている。チャンスを成功に導くのは自分自身の努力が一番の材料だが、機会そのものがなければ始まらない。強運を手にするには、それなりの男気が必要なのだ。

受動的な機会だけでなく、積極的にその機会をサーチすることも忘れない。

「みんなが手を引いたときがチャンス」

池田は、第二データセンターを立ち上げた前後を思い起こして、こう言った。今やＧＡＦＡ

（グーグル、アマゾン、フェイスブック、アップル）という世界的巨大企業がＩＴ業界を席巻している。日本の各社は、こういったビッグカンパニーのサービスに乗ることで、それにあやかろうとしている。

このようなとき、池田は敢えて、自前主義を貫く。自分の足元に大きな地盤を築くことが大きな武器になったことは、現在のアイネットを見れば明らかだ。

「すべてがチャンス」と捉えるから、チャンスに恵まれた人になる。チャンスが欲しいと手をこまねいていたり、チャンスがないと嘆いている人は、その時点で多くのチャンスがその手からこぼれているると思った方がいい。

そして、池田がもっとも強調する「強運」をつかむ方法とは、感謝の気持ち、とくに先祖や目に見えないものに対して、信心深さや畏怖《いふ》の念を持ち続けて、決して驕らないことだという。

そして、こう自信を持つ。

「正しいことをやっているのだから、救われないわけがない」

努力を重ねた人だからこそ、言える言葉でもある。

「人のせい」は道を閉ざし、「自分のせい」は道を拓く

世の中には、身に起こることすべてが他者のせいだと考える人がいる。彼らは、自分がおかれ

た状況を、親のせい、から始まり、友人のせい、学校のせい、社会のせい、政治のせい、しまいには、この地球が悪いとなる。これを「他責」という。つまり、責任はすべて自分以外にあり、自分は何も悪くないという考えだ。

もちろん、本人の努力の及ばないようなこともあるかもしれない。しかし自分の行動一つ変えるだけで、その後の未来がガラッと変わることは往々にしてある。

一方で、自分に起きたことを正面から受け止め、問題解決を図ろうとする人がいる。相手とうまくいかないのは、自分にも問題があるのではないか（相手から離れないことも含め）。仕事がうまくいかないのは、自分の能力が足りないからかもしれない。相手とのコミュニケーションの取り方が間違っていたのかもしれない。このような考えを「自責」という。いささか、ネガティブにも聞こえるが、自分を責めるだけでなく、解決するために実行する人は、非常にポジティブだ。「人は変えられないが、自分は変えられる」という発想はまさに、これに当たる。池田も、このタイプだ。

しかし、本書でも触れたように、あの池田をしても、「他責」だった時期があった。ソフトサイエンス社との合併のときである。あのときの池田は、相手側に騙されたと思い、一時、激しい憎悪の気持ちを抱いた。相手と戦うことを己の使命とし、悲劇のヒーローよろしく、「自分さえ腹を切って、社員が幸せになれればいい」、そう思っていた。

神が好きなのは、決して他者のせいにすることなく、自分で人生の責任を負い、それでいて前向きに対処する人間である。こういう人に、神は決まって「運」というご褒美をくれるものだ。

池田を本来の「自責」の人に変えたのは、妻の一言であり、彼自身が持つ生来の素直さである。自責の念を抱き始めたと同時に、相手にも言い分や、それぞれの経営方針があることに思い至ることができた。

すると、大きく流れは変化していった。敏腕弁護士の宮谷が関わった攻防も、アイネット側に軍配はあがった。

宇宙事業部の展開にしてもそうだ。彼らにいい仕事を与えられなかった自分を反省し、「何としても活躍させたい」という使命感に変わったとき、日本は国家事業として宇宙事業に力を入れることになった。天が、池田が「自責」と「使命感」を抱くまで、二十年間も待ってくれていたのだと信じたい。

人は、さほど強い生き物ではない。だからこそ、一人の人間の人生においても、他責と自責を行ったり来たりする。徹底的に他責な人も、どんな非常事態においても自責を貫ける人も、どちらもそう多くはないだろう。

だからこそ、常に自分の心を点検する習慣が必要なのだ。

「決して驕らず、明るく前向きに生きること。人のために生きること。変化を恐れず、成長すること。感謝と、見えぬものへの畏怖の気持ちを忘れないこと」

故郷栃木の大先輩である、相田みつをの詩を、池田はいつも心に留めている。

しあわせはいつもじぶんのこころがきめる

現社長、坂井 満も同じ詩を好きな言葉としているという。

池田が育てた五十年の歴史。しっかりと、次世代に受け継がれている。

古典に学ぶ

優れた人に会うと、多くの人は古典や偉人の言葉をよく知っている。ものを知っているから優れているのではなく、人から学ぶという姿勢を常に持っているからこそ、古典や偉人の言葉に詳しくなり、初心を忘れず、何度も反芻《はんすう》するから、それを覚えてしまうのだろう。

池田もまた、多くの古典から学び続けてきた。それが生きざまや仕事とリンクしながら、古《いにしえ》の教えを、確信に変えてきたのだろう。

弱冠二十五歳にして、世界で初めてベストセラーとなった世界屈指の文豪ゲーテは、ユーモラスに、古人から学ばない人々を、このような言葉で皮肉っている。

某氏はいう

「わしはどの派にも属さない。わしが競うに足るような大家は生きていない。といって、わしは故人から学ぶほど、おろかものでもない」

この意味を正しく理解すると、

「わしはお手製のばかものだ」ということになる

（「警句的」『ゲーテ格言集』）

では、どうすれば良いか。さらにゲーテに答えを求めてみよう。

生れが同時代、仕事が同業、といった身近な人から学ぶ必要はない、何世紀も不変の価値、不変の名声を保ってきた作品を持つ過去の偉大な人物にこそ学ぶことだ。こんなことをいわなくても、現にすぐれた天分に恵まれた人なら、心の中でその必要性を感じるだろうし、逆に偉大な先人と交わりたいという欲求こそ、高度な素質のある証拠なのだ

（『ゲーテとの対話』下巻）

ゲーテに言わせれば、池田は「すぐれた天分に恵まれた人」だということになる。しかし「すぐれた天分」とは、単に頭脳明晰なだけでもなく、芸術的に秀でている人というだけでもない。

それらを活かして、周りにいる人々を幸せにしている人のことをいうのだと思う。

最後に、池田がどのような古典から、生き方、考え方を学んできたかご紹介したい。

■性相近《せいあいちか》し、習《なら》い相遠《あいとお》し

（人間の天性というものは、それぞれそんなにちがったものではない。しかし、その人の習慣によっては、たいへんちがったものになる。習慣は第二の天性*1）

生まれたての赤ん坊の顔を見たことはあるだろう。どの新生児も愛らしく、まさに「天使」というに相応しいほどの、無垢な表情だ。

しかし、人は大人になっていくにつれ、良くも悪くも、大きく変わっていく。他人同士であるならもちろんのことだが、同じ家庭に生まれ、幼い頃はよく似た顔をした兄弟でさえ、その後の生き方によってまったく人相が変わってしまうということさえある。

「三つ子の魂百まで」という言葉がある。小さい頃に沁みついた考えや生活習慣は、大人になってそう簡単に変わるものではない。だからこそ、教育というのはもっとも重要な親の役割でもある。

とはいえ、もしも「親からの情操教育」に恵まれなかった場合はどうしたらよいのだろう。そう思ったら、なりたい自分になるための努力を重ねるしかないだろう。池田は言う。

（*1『中国古典名言事典』より引用。以下同）

「人は、環境によって大きく変わります。その環境は、そこにいる人たちで作られる。だから、良い仲間、良い伴侶を選ぶことです。しかし、『類は友を呼ぶ』というくらい、似た者同士は集まりやすい。そこは冷静に相手や自分を見る目も必要です。

やればできる、そう信じ続ければ本当にできるようになるというのも、仕事や思考の習慣が導いた結果でしょう。私だって、社長の息子に生まれたわけではありません。やればできると信じて、歩んできた結果が、いまに繋がっているのです」

孔子の言葉は、人は、変わりたいと願い、実行すれば変われるというエールでもあり、自らの習慣が、よくも悪くも、未来の自分を作っていくという戒めでもある。

実のところ、失敗者と成功者のただ一つの違いは習慣の違いにある
（『地上最強の商人』オグ・マンディーノ著）

■過《あやまち》を改《あらた》めざる、是《これ》を過《あやまち》と謂《い》う

（人間であるかぎりあやまちのないものはない。だが、ほんとうのあやまちとは、あやまちと知りながら反省を怠り、なお改めないことだ*1）

「失敗は成功のもと」という言葉があるように、物事を成功させるためには、なぜ失敗したのかを知ることはとても重要だ。しかし、なかなか「自分が失敗した」と認めたくない人も多い。

仕事柄、多くの「成功者」のインタビューを重ねてきた。経営者、芸術家、学術などの文化人、政治家、そして芸能人まで、彼らの仕事は多岐にわたる。

誰もが認めるような功績を遺した彼らとの会話は、一度はかならず「失敗談」で花が咲く。そしてその躓《つまず》きが、のちに大きく飛躍するための、重要なきっかけだったと述懐することが多い。ときに、その苦しかった時期を思い出して、涙ぐむ人もいる。それを乗り越えたときの状況を話す晴れやかな表情には、自己の失敗を真摯に受け止めた人だけが持つ、崇高な輝きさえ感じる。

どんな失敗にも、理由がある。それを「人のせい」や、「環境のせい」にしていては、人は成長しない。自分の何がいけなかったのか、冷静に見つめ直せる人が、次へのステップというチャンスを与えられるものだ。

池田自身も、さまざまな場面で、内省を繰り返してきた。二回目のM&Aのときのように、ほんの一瞬、その内省を忘れかけたとき、物事は空回りしてしまう。しかし、すぐに視点を切り替えられたからこそ、あのときのM&Aが、今のアイネットの飛躍にも結び付いているのである。

ビジネスにおいては、「過ちを改めない」という判断は命取りになる。たとえば、消費者から多くのクレームが出ているのを知っていたのに、なかったことにする。それがさらに大きな事故や被害が出たことにより、世間に報道され、その隠蔽《いんぺい》体質が明らかになることで、企業価値が下がり、倒産にいたることとすらある。

個人において言えば、自分が原因で問題が起きたとき、相手に謝るより前に言い訳をする人がいる。こういう人はたいてい、その過ちを直そうとしない。そこで成長が止まってしまうだけでなく、信頼という、人がより良く生きていくうえで、もっとも大切なものを失うこともある。

「失敗は、先生である。失敗したと思ったら、反省して、どうやって直したらいいのかを考えることで、成長がある。まずは素直になること。そして、知らないことを知らないという勇気をもってほしい」

その池田の言葉を後押しするように、イギリスの詩人、オリバー・ゴールドスミスはこのような言葉を残している。


われわれにとっての最大の名誉は、一度も失敗しないと言うことではなく、倒れるごとに必ず起きあがることである

■**人の己を知らざることを患《うれ》えず、人を知らざることを患《うれ》うなり**
（人は、自分が他人から認められないばあい、失望し、くよくよと思いわずらう。だが、これは末梢のことにすぎない。それよりも他人の真価を認め得ない自分を思いわずらう人であってほしい*1）

『論語』「学而第一《がくじ》」の中の、最後の言葉である。

人は周囲からの評価を常に気にする生き物だ。それは古今東西変わらぬものらしい。昨今はSNSの流行により、とくにその傾向がさらに強くなっているように思う。人から認められたいという思いが強すぎると、周囲を見る目を曇らせてしまう。池田は「自分が、自分が」としゃしゃり出ることを好まない。だからこそ、そのような風潮に陥りがちな人の世を、憂えている。

一方で、そのような人は他者を認めることが苦手でもある。他者の長所を認めることで自分の立ち位置が危うくなるとでも思ってしまうのか、他者と自分を相対評価で図ろうとしてしまうのである。では、優れた人とはどういう人か。

君子は人の美を成す

(君子は人の欠点をとり立てることをせず、長所を伸ばしてやろうと心がけるものだ*1)

もしも相手の欠点ばかりが気になるようならば、長所を見つけられない自分の器の小ささに気づくべきだというのが、孔子の教えだ。

池田は、個性的であったり、ある一点に才がある人材を重要なポジションに抜擢することを恐れない。むしろ、好んでこのような逸材を採用してきたようにも見える。会社の歴史の中で重要なキーパーソンの話にいたったとき、「変わり者だけどね」と前置きをしながら、愛おしそうに彼らの話をしているのが印象的だ。

さらに、『論語』にはこういう言葉もある。

三人行けば、必ず我が師有り

出会う人すべてに、学ぶべきことがある。相手の良いところを評価し、ともに事業や人生を築き上げる仲間とする。そのような度量がなければ、経営者は務まらないし、人生もつまらないものになる。似たような人だけが集まれば楽しいかもしれないが、学びは少ない。他者から学びを得ようと接すれば、おのずと自己を高め合いたい人たちが集まり、人生はより豊かなものになる。

自分を認めてもらいたいという欲は、自己研鑽への原動力にもなる場合もあるが、実力を伴わない自己主張は、かえって人を遠ざける。たとえ苦手な人であろうとも、相手の中にある長所を探して見る。その繰り返しが、人を大きくし、求心力を高めていく。

フランスの哲学者アランは、その著書『幸福論』において、こう言い切る。


あなたのほうから微笑みをはじめないならば、あなたはばか者にすぎない

相手の長所を素直に認め、評価できる人間であるかどうか、ときに心の点検が必要である。

■君子は諸《こ》れを己に求め　小人《しょうじん》は諸《こ》れを人に求む

（君子は、自分の身に起きた全ての出来事に対して謙虚に受け止め、自分自身に責任を求め反省をする。しかし、小人は他人の命によって行動し、失敗すれば他人のせいにして反省をしない*2）

いわゆる「自責」と「他責」の違いである。池田の生きざまが特徴的なのは、大きな壁にぶち当たったときにこそ、この「自責」を発揮していることである。常に自責で生きることは素晴らしいことだが、あまりに自分を追い詰めると、気を病んでしまうこともある。池田の持つ、天性の大らかさがあるからこそ、自責の精神を貫いても前を向き続けることができるのかもしれない。「自責」は必要だが、そのさじ加減も実に難しい。かといって、ときには、他人を責めよ、ということではない。世の中には「どうにもならないこと」があることもまた事実なのである。

孔子の言うことはもっともであるが、多くの人は「ひとっとび」には君子になれない。人は学び続けることで、少しずつ、その先に進むことができる生き物だ。

ドイツの哲学者ニーチェは、著書『ツァラトゥストラ』で、こう述べている。

（*2『瀬戸塾新聞』二五号より引用）

飛ぶことを学んで、それをいつしか実現したいと思う者は、まず、立つこと、歩くこと、走ること、よじのぼること、踊ることを学ばなければならない最初から飛ぶばかりでは、空高く飛ぶ力は獲得されない

まずは、これまで「人のせい」にしてきた身近なことから、自分に責任があると置き換えて思考する練習を積む。そして次第にその輪を広げていけば、目の前に繰り広げられるあらゆる出来事が、自ら選んできた道だということに気づくだろう。

池田は「自責」の人だが、決して後ろを振り返り、下を向いて歩き続けてきた人ではない。目線は常に高く、視野は広く。大空に向かって手を広げて歩いてきた人である。人を愛し、先祖を敬い、感謝の心を忘れないという思いがベースにあるからこそ、「自責」もまた活かされていく。

最後に、どうしたら、池田のような「明るい自責」の人になれるのか。池田の好きな論語の一節で、締めくくりたい。

■**之を知る者は之を好む者に如かず　之を好む者は之を楽しむ者に如かず**

（何事も、それを知っているというだけでは、それを好むというような人の力には及ばない。何事につけても、好むよりは、それを楽しんでいる者が上である[*1]）

すでに紹介した言葉だが、池田が新入社員や大学生などに、好んで伝える言葉の一つだ。

仕事においては、嫌々やらされていると思う人と、好きでやっているという人とでは効率も業績も大きく変わってくるだろう。「好きなことを仕事」にしている人は、その意味で大変に幸福な人であると言える。しかし、そのような幸福な人は、そう多くはない。では、待遇や知名度、立地条件などで仕事を選んだ人は、仕事において幸福感を得られないのかと言えば、もちろんそんなことはない。

与えられた仕事を好きになる。これはとても重要なポイントだ。目の前の仕事に邁進していくうちに、その仕事を好きになるということは、往々にしてある。

ただ、孔子は「好き」よりもさらに上があるという。それが、「楽しんでいる」ということだ。好きと楽しむはどう違うのか、と考える人も多いだろう。作家の中野孝次は著書『中野孝次の論語』において、次のように解説している。

「好むというのはまだそれが外にあるが、楽しむというときそれは自分と一体になって、自分の人生そのものになる」

さらに詳しく見てみよう。

「まさにそのことに熱中し、喜びも悲しみもすべてその中にありというのが、この楽しむということだ。（中略）楽しむものは、それが自分の全部となるのである。楽しむとはあることをするのが自分の全人生となることだ」

人生をより幸福にしたいと思ったとき、この言葉を思い出してみればよい。

自分の人生自体を楽しんだ者は、もう怖いものなしである。
ゲーテは、人生の歩み方について、こう語る。

現在を楽しめ、未来のために自己を形成しながら

今の積み重ねが、未来へと繋がっている。多くの成功者は、その未来が善きものになるように、最善の努力を欠かさない。目の前に飛び込んできた出来事を、常にチャンスと捉え、それらに感謝する。

自分の人生の主役に代役はない。すべてを自分事と捉え、周囲をも幸福に、そして高みへと導いてきた池田の生き方が、多くの人の心に残ることを信じたい。

人の世の　幸不幸は　人と人とが　逢うことからはじまる　よき出逢いを

（相田みつを）

おわりに

縁というのは、数奇なものです。

私はこれまで、数々の出会いに導かれ、助けられてきました。本書にあるとおり、戦時下にあったという以外は、まったく平平凡凡な生まれと育ちであった私が、今、このような境遇にあろうとは、ほかの誰よりも、私自身が思いもしなかったことです。

これもひとえに、多くの人の支えがあったからだと心から感謝しています。

創業経営者というものは、時に孤独でもあり、大きな責任を伴います。その重責に押しつぶされそうになることもあります。けれども、私の敬愛する孔子はこう慰めてくれるのです。

徳は孤《こ》ならず、必ず隣《となり》あり

隣とは、これまで私を支えてきてくれた両親や師、友人たちであることは言うまでもありません。アイネットの「表の歩み」には登場しませんでしたが、運命的な出会いを感じた人物もいます。

貧乏人ばかりが集まっていた埼玉大学の寮に、「彼」はいました。本文にもあった「バイト代で学費を稼いでから、半年後に通学し始めた」その彼が、小林洋史君です。寮では同部屋で、学生時代の大切な友の一人です。

アイネットの前身であるフジコンサルトを創業した頃、IBM横浜支店のマシンを借用していましたが、借用であっても高額なコストは悩みの種でした。そんな時、小林君が勤めていた大手製薬会社の電算室でも同じ機種を使っていることがわかり、八年ぶりに彼に連絡を取ったのです。

すると、小林君の会社は、電算室の業務を外部に委託しているというのです。

「池ちゃん、『タイムシェア』って知っているだろう？　委託先の会社を紹介してあげるから、マシンをその会社とタイムシェアしたらどうかな」

こんな提案までしてくれました。実際、委託先とのタイムシェアは実現し、それまでのコストを二分の一まで下げることができたのです。これが会社の業績に大きなプラスになったことは言うまでもありません。

しかし、「ご縁」はここで終わりませんでした。この委託先企業の社員の中に、のちにアイネットと合併することになる、日本コンピュータ開発（ＮＣＫ）社長の黒川君と、専務の河野君がいたのです。

このあと、彼らは独立してＮＣＫを立ち上げ、さらにフジコンサルトと合併して、ともに仕事人生を歩んできました。二人とも鬼籍に入ってしまいましたが、黒川君は副社長、河野君は専務としてアイネットを支えてくれました。

このような不思議なご縁の繋がりが、私の人生を創造してくれている気がしてなりません。

さらに言えば、「時」というものも、この「不思議なご縁」に当たると思っています。なぜなら、私は「時の運」にも大いに恵まれてここまで来たと思っているからです。

幾度かの「時の流れ」は、ほかの人には逆境と言えるものであったにもかかわらず、私やアイネットにとって、追い風となって助けてくれました。それは紛れもなく、私たちにとってのターニングポイントとなったのです。

かねてより、経営に大切なことは何かと考え続けてきました。自分なりの考えを実行してきたつもりでもいます。それが正しかったかどうかは、後世の人間が決めることだと思う一方で、それを書き留めようという思いも抱いていたのです。しかし、その「機」は、なかなかやってきませんでした。

それは偶然の出会いでした。本書の執筆者である関口暁子さんは、私の母校の講師をしているということでしたが、本業は文筆家だと言うのです。このとき、運は、私に自分史を語るチャンスをくれたのです。

これ以前にも、さまざまな場所で、自分と会社の歩みを語る場はありました。しかし、生い立ちからの来し方を、ここまで細かく人様に話したことなどあったでしょうか。そして、自分という人間は、これまでどれだけ感謝に満ちた人生だったかを、あらためて思い知るにいたったのです。

けれども、私が特別な人間だったとは、まったく思っていません。特別な人間でなくても、人は幸せに生きることができる、それは私の経験から見てもあきらかです。

この八十年という人生の中で、私に自慢できることがあるとしたら、それはたったの三つしかありません。

一つ目は、モービル石油で、社会人としての筆おろしができたこと。八年という短い間でしたが、外資企業であるモービルは、新人である私にも多くの責任ある仕事と、そこで自分を磨くチャンスを与えてくれました。このときの友人たちは、いまでも交誼《こうぎ》が続いています。仕事の基本は、社会に出たばかりの会社でしっかり磨くことが大切なのだと、今でも思っています。目の前のステージから逃げることなく、とにかく一所懸命にやる。この八年があったからこそ、そのあとの経営者としての人生を歩むことができました。

二つ目は、神奈川県情報サービス産業協会において、素晴らしい仲間と出会い、協会のプレゼンスの向上に役立てられたということ。社内で孤高を保たなければならなかったとき、彼らとの信頼関係と、それによって築き上げた実績は、私にとって大きな救いとなったのです。そして、私に大きな自信と、困難に立ち向かう勇気を与えてくれました。

三つ目は、このアイネットの存在。素晴らしい社員たちに囲まれ、取引先の温かみに触れ、こうして長きにわたり、「アイネット丸」という名の船を漕がせていただいたこと。このアイネットを取り囲むすべての人々に感謝し、それを誇りに思っています。

この三つの「自慢」は、私の歩みの中にある、希望や挫折や、勇気、支え合った友情、そして深い感謝というさまざまな経験と感情が作り出してくれた、人生で最高の宝物です。

私は戦時下の貧しい家庭に育ちました。食べ物を兄弟で取り合うこともありました。しかし、それを卑屈に思ったことは、一度たりとてありません。周りを見渡せば、みな同じように、貧しさに耐えながらも、明るく生きていたからです。

生きることは、ときに辛いことです。でも、生き続けていけば良いこともあるのです。人は、その「良いこと」にフォーカスして歩むことで、自分が思うとおりの人生を歩むことができるのだと信じています。

過去は変えられないが、今と未来は変えられる、と人は言います。

しかし、私の経験から言えば、過去をも人は変えられるのです。すなわち、「今」に感謝し、未来に希望を抱くことで、過去の呪縛から解き放たれるだけでなく、過去の辛い経験でさえ、「希望の種」へと変えることができるのだと思うのです。

幸せか不幸せか。それは他人が評価できることではありません。自分自身の中にある「神性」を信じて、まっすぐ正直に歩んでいくことが大事だと思います。

幸いにも、日本には八百万《やおよろず》の神がいます。そしてもちろん、みなさんの心にも。

同郷の詩人、相田みつをの詩を、私は座右の銘にしています。本文にも登場しましたが、ここでもう一度、読者のみなさんと共有したいと思います。

しあわせはいつもじぶんのこころがきめる

今を大切にし、二度とない人生を、楽しんで生きる。それこそが、私たちに与えられた人生の醍醐味だと思っています。

田舎生まれの洟垂れ小僧の人生を辿ることで、少しでも、一人でも、自分らしく、より良く生きるヒントを見つけてもらえたら、望外の喜びです。

最後に、資料集めや三者間の調整等を担ってくれた四十年来の社員である髙宮靖さん、全体工程の管理や校正にご尽力いただいた株式会社幻冬舎メディアコンサルティング編集局の伊藤英紀さん、上島秀幸さん、そして、本書を素晴らしい読み物にまとめあげていただいた著者の関口暁子さんにこの場をお借りして、心から感謝いたします。

令和二年十一月

株式会社アイネット 創業者　池田典義

参考文献

〈書籍・雑誌・資料〉

『アイネットニュース』株式会社アイネット社内報　一九九一年〜二〇〇一年
『あいねっとニュース』株式会社アイネット社内報　二〇〇三年〜二〇二〇年
『横浜経済の語り部たち』横浜の語り部制作実行委員会刊・編　二〇〇二年
『神奈川の創業経営者　熱い思いを語る』公益財団法人起業家支援財団編　神奈川新聞社　二〇一一年
『モービル石油社内誌』モービル石油株式会社　一九六三年
『NOMURA OWNERS CLUB』野村証券　一九九四年
『足利高校同窓会誌』栃木県立足利高校
『都市住宅学』九九号「日本型就職システムの変遷」吉本隆男　二〇一七年
『就職白書二〇一九』就職みらい研究所編　株式会社リクルートキャリア　二〇一九年
『崩壊　ドキュメント・安宅産業』日本経済新聞社特別取材班　一九七七年
『日刊燃料油脂新聞』一九九七年八月一日号
『月刊ビジネスアイエネコ』二〇一八年三月号「石油のこれまでの50年と将来展望」橋爪吉博
（日本エネルギー経済研究所石油情報センター）
『イリュージョン』リチャード・バック著　村上 龍訳　集英社文庫　一九八一年
『ゲーテ格言集』高橋健二編訳　新潮文庫　一九五二年
『ゲーテとの対話』エッカーマン著　山下 肇訳　岩波文庫　一九六九年
『パンセ』パスカル著　前田陽一・由木 康訳　中公文庫　一九七三年

参考文献

『幸福論』アラン著　白井健三郎訳　集英社文庫　一九九三年
『サトゥラェ　諷刺詩』ユウェナーリス著　藤井 昇訳　日中出版　一九九五年
『ツァラトゥストラ』ニーチェ著　手塚富雄訳　中公文庫　一九七三年
『百年続く企業の条件』帝国データバンク　史料館・産業調査部編　朝日新書　二〇〇九年
『ローマ人の物語』塩野七生著　新潮社　一九九二〜二〇〇六年
『マネジメント［エッセンシャル版］―基本と原則』Ｐ・Ｆ・ドラッカー著　上田惇生訳
　ダイヤモンド社　二〇〇一年
『柏尾川物語』横浜市戸塚区役所編　二〇〇四年
『中国古典名言事典』諸橋轍次著　講談社学術文庫　一九七九年
『瀬戸塾新聞』二五号　社団法人日本空手協会目黒支部　二〇〇六年
『中野孝次の論語』中野孝次著　海竜社　二〇〇三年
『世界最強の商人』オグ・マンディーノ著　山川紘矢・山川亜希子訳　角川文庫　二〇一四年
『ウォーレン・バフェット　成功の名語録　世界が尊敬する実業家１０３の言葉』桑原晃弥著
　ＰＨＰビジネス新書　二〇一二年
『こんな会社で働きたい　神奈川編』クロスメディアＨＲ総合研究所　二〇一九年
『なぜ、御社は若手が辞めるのか』山本 寛著　日本経済新聞出版社　二〇一八年
『ダイヤモンド・ザイ』二〇二〇年一月号　ダイヤモンド社　二〇一九年
『逝きし世の面影』渡辺京二著　平凡社　二〇〇五年
『青春とは、心の若さである。』サムエル・ウルマン著　作山宗久訳　角川文庫 一九九六年
『ドローンビジネス調査報告書二〇一九』春原久徳・青山祐介著　インプレス総合研究所編　二〇一九年

『日本ロボット学会誌』三四巻二〇号「我が国の無人航空機の歴史と今後の展望」細田慶信著　二〇一六年
「日本再興戦略」改訂二〇一四―未来への挑戦―　内閣府　二〇一四年
「第一三回健康投資ＷＧ事務局説明資料①（アクションプラン二〇一六の進捗状況について）」
経済産業省　商務情報政策局編　二〇一七年

〈ホームページ〉

文部科学省ホームページ「学校基本調査年次統計」（一九四八～二〇〇六年）
https://www.e-stat.go.jp/dbview?sid=0003147040
総務省統計局ホームページ「主要品目の東京都区部小売価格」（一九五〇年～二〇一〇年）http://www.stat.go.jp/data/kouri/doukou/3.html
総務省統計局ホームページ「我が国の推計人口（大正九年～平成十二年）」・「男女別人口－総人口，日本人人口（平成十二年～二十七年）」https://www.e-stat.go.jp/stat-search/files?page=1&toukei=00200524&bunya_l=02&tstat=000000090001
国立社会保障・人口問題研究所ホームページ「日本の将来推計人口（平成二九年推計）結果報告書」http://www.ipss.go.jp/pp-zenkoku/j/zenkoku2017/pp29_Report3.pdf
農林水産省ホームページ「農薬等の空中散布の実地状況について」（全国・平成三〇年）https://www.maff.go.jp/j/syouan/syokubo/gaicyu/g_kouku_zigyo/
ＪＡＸＡホームページ http://www.jaxa.jp/article/special/hayabusareturn/index_j.html
大丸有サスティナブルポータル「ＥＣＯＺＺＥＲＩＡ」コラム https://www.ecozzeria.jp/series/column/kenkokeiei.html

ＣＮＢＣホームページ https://www.cnbc.com/2018/11/15/bezos-tells-employees-one-day-amazon-will-fail-and-to-stay-hungry.html

日本円貨幣価値計算機
https://yaruzou.net/hprice/hprice-calc.html?amount=2417&cy1=1958&cy2=2017

著者プロフィール

関口暁子（せきぐちあきこ）

1974年東京都生まれ。大学在学中にドイツ遊学。

大学卒業後、航空会社グループ企業に入社。1998年単身ドイツに渡り、現地法人に入社。現地物販店の再建事業に携わる。帰国後、消費財メーカーを経て、2002年飲食運営会社に入社。同年取締役に就任し、経営企画を担当。

2006年企画・執筆業のdoppo設立。複数の雑誌で経営者や芸術家、著名人のインタビュー記事の執筆をおこなうかたわら、エッセイスト「あかつきゆうこ」としても執筆活動をおこなう。

著書に『幸せの隠し味』（あかつきゆうこ著、フーガブックス）、『攻める老舗』（関口暁子著、同）がある。

本書についての
ご意見・ご感想はコチラ

Catch The Wind !
「感謝」が成功を引き寄せる

2020年11月24日　第1刷発行

著　者　　関口暁子
発行人　　久保田貴幸

発行元　　株式会社 幻冬舎メディアコンサルティング
〒151-0051　東京都渋谷区千駄ヶ谷4-9-7
電話 03-5411-6440（編集）

発売元　　株式会社 幻冬舎
〒151-0051　東京都渋谷区千駄ヶ谷4-9-7
電話 03-5411-6222（営業）

印刷・製本　瞬報社写真印刷株式会社
装　丁　　PYOSEONGMIN

検印廃止

Printed in Japan
ISBN 978-4-344-93081-0　C0034
幻冬舎メディアコンサルティングHP
http://www.gentosha-mc.com/